Zwanger raak je niet vanzelf

Gustav Klimt (1862 – 1918) *The Kiss*

ZWANGER RAAK JE NIET VANZELF

- · **De beste voorbereiding**
- · **Hoe vergroot je je kansen**
- · **Onderzoeken en vruchtbaarheidsbehandelingen**
- · **Mogelijke alternatieven**

Anja de Grient Dreux

Met medewerking van:
Prof. dr. Didi Braat, gynaecologe,
  Universitair Medisch Centrum Nijmegen
Prof. dr. René Hoksbergen, emeritus hoogleraar adoptie,
  Universiteit Utrecht
Dr. Siepie van der Meer, gynaecologe,
  Medisch Centrum Haaglanden, Den Haag
Prof. dr. Fedde Scheele, gynaecoloog,
  Sint Lucas Andreas Ziekenhuis/VU Medisch Centrum, Amsterdam
Dr. Kees Yedema, gynaecoloog,
  Medisch Centrum Haaglanden, Den Haag
Dr. Bert-Jan de Boer, huisarts,
  Stichting GezondheidsCentra, Maarssenbroek
Dr. Piet Bolhuis, gezondheidsraad
Dr. Sylvia Dermout, gynaecologe,
  De Heel Zaans Medisch Centrum, Zaandam
Drs. Lineke Jenniskens, kinderarts, lid van de raad van advies Meiling, stich-
  ting voor Adoptie en Projecthulp

Spectrum

Inhoud

Woord vooraf

We hebben ons vroeger allemaal wel eens verwonderd over het feit dat uit een heel klein zaadje en een eicel een heel nieuw mensenleven ontstaat. Nu weten we dat dat lang niet altijd vanzelf gaat: van de stellen die een kind willen krijgen, blijkt 25% vroeg of laat hulp bij de huisarts te zoeken. Ruim de helft van deze groep (15%) wordt doorverwezen naar de gynaecoloog en minder dan 5% van alle paren die een kind willen blijft uiteindelijk ongewenst kinderloos.

Waar ligt dat dan aan? Er zijn verschillende oorzaken te noemen voor het uitblijven van een zwangerschap. Het is bekend dat de gemiddelde leeftijd waarop vrouwen hun eerste kind krijgen steeds hoger wordt. Voor de Nederlandse vrouw is dat ruim 29 jaar, terwijl de vruchtbaarste periode tussen je twintigste en vijfentwintigste levensjaar ligt. En na je vijfendertigste neemt je vruchtbaarheid ook nog eens drastisch af.
Het kan ook zijn dat je in het verleden een infectie hebt gehad die je vruchtbaarheid heeft aangetast. De meest voorkomende SOA (sexueel overdraagbare aandoening) op dit moment, chlamydia, is een infectie die de eileiders onherstelbaar kan beschadigen.
Daarnaast kunnen bijvoorbeeld stress, overgewicht, (extreme) gewichtsdaling of langdurige forse lichamelijke inspanning (zoals topsport) redenen zijn voor het uitblijven van de eisprong.
Bij mannen kan de zaadkwaliteit nadelig worden beïnvloed door roken en kunnen geslachtsziekten dusdanige schade aanrichten dat je (vrijwel) steriel raakt.

In dit boek vind je alle mogelijke oorzaken voor het uitblijven van de zwangerschap. Maar dat niet alleen, het laat ook zien hoe je lichaam in elkaar zit én hoe je je zwangerschapskansen kunt vergroten. Hierdoor kun je voorkomen dat je te vroeg de medische molen instapt. Mocht je toch in het medische circuit belanden, dan vind je uitgebreid beschreven welke vruchtbaarheidsbehandelingen er bestaan, inclusief de laatste

Hans Pruijn

Tango

resultaten en ontwikkelingen op dit gebied, de voor- en nadelen en (emotionele) overwegingen die een rol kunnen spelen bij je keuze.

Wanneer een zwangerschap aan het einde van een mogelijk lange weg niet voor jou en je partner blijkt weggelegd, dan kun je overwegen om te kiezen voor alternatieven: de procedures rond draagmoederschap, pleegouderschap en adoptie worden in dit boek ook toegelicht.

Maar laten we niet al te veel op de zaken vooruitlopen. Grote kans dat je 'gewoon' zwanger wordt, al dan niet spontaan. In ieder geval hoop ik dat jij en je partner in dit boek alle informatie kunnen vinden die jullie nodig hebben.

Anja de Grient Dreux

1

De geslachtsorganen
van man en vrouw

Het allereerste begin:
man of vrouw?

Bij de bevruchting wordt bepaald of je je zult ontwikkelen als man of als vrouw. Je krijgt één chromosoom van elk van de 23 chromosomenparen van je moeder, en hetzelfde aantal van je vader. Zo bestaat uiteindelijk elke cel van je lichaam uit 23 nieuwe chromosomenparen, waaronder één paar geslachtschromosomen.
Dit is het erfelijke materiaal dat voor een heel belangrijk deel bepaalt hoe je lichaam zich verder ontwikkelt.

In de eerste 6 weken van de embryonale fase ontwikkelen jongens en meisjes zich gelijk. Hierna ontstaat er verschil onder invloed van de hormonen die het embryo zelf gaat maken. Als het kind een jongetje is (XY), worden vanuit de testes (zaadballen, minuscuul aanwezig) na 6 weken mannelijke hormonen (androgenen) geproduceerd die zorgen voor de ontwikkeling van de mannelijke geslachtsdelen. Als het een meisje is (XX), worden er minder androgenen geproduceerd en ontwikkelen zich vrouwelijke geslachtsdelen.
Je kunt overigens in de eerste 10–11 weken met het blote oog nog steeds niet zien of het een jongen of meisje is.

De geslachtschromosomen bepalen je geslacht. Je krijgt één X-chromosoom van je moeder, en één X- of Y-chromosoom van je vader. Met andere woorden: de man bepaalt het geslacht van het kind: meisje (XX) of jongen (XY).

De man

Bij het ongeboren
jongetje moeten de
testes reizen van de
buikholte door het
lieskanaal tot ze rond
de 7e maand indalen
in het scrotum. Bij
verreweg de meeste
jongetjes zitten de
balletjes inderdaad
rond de geboorte in
de balzak. Dit wordt
gecontroleerd bij het
eerste onderzoek van
het pasgeboren kind.

Je mannelijke geslachtsorganen bestaan uit penis en balzak met daarin de zaadballen.

In je *penis* zitten drie zwellichamen: twee grotere en één iets dunner. Die loopt langs de onderkant van je penis. Aan het eind is deze verdikt en vormt de glans of eikel (overbodig te melden dat dit het gevoeligste deel van je penis is). In dit zwellichaam loopt de urinebuis.
De zwellichamen kunnen zich met bloed vullen, meestal doordat je seksueel opgewonden raakt. Hierdoor wordt je penis groter en stijver.

Je *balzak* of *scrotum* hangt niet voor niets als een zakje buiten je lichaam. Het kan hierdoor als een beschermende thermostaat functioneren om je kostbare en kwetsbare testes op een goede temperatuur te houden. De ideale temperatuur voor zaadballen is namelijk iets lager dan je lichaamstemperatuur: 35 °C in plaats van 37 °C.

Onder de huid van het scrotum loopt een dunne spierlaag. Je weet als geen ander hoe sterk deze bij kou kan samentrekken. Dat is om de zaadballen dichter naar je lichaam te brengen om ze warm te houden. Bij warmte ontspant deze spierlaag zich, waardoor je zaadballen verder van je lichaam af komen te zitten en dus koeler kunnen blijven.

De *zaadballen* of *testes* zijn bij een volwassen man gemiddeld ieder ongeveer 3,75 bij 2,5 cm groot. In je zaadballen wordt, hoe kan het ook anders, het zaad gevormd. Bovendien

anatomie
mannelijke
geslachts-
organen.

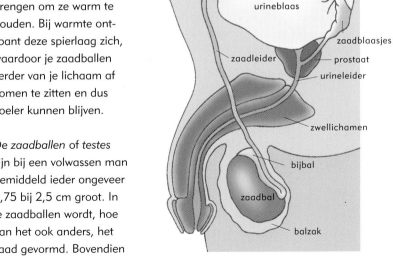

urineblaas

zaadblaasjes

zaadleider

prostaat

urineleider

zwellichamen

bijbal

zaadbal

balzak

zitten er ook cellen (de zogeheten cellen van Leydig) die het mannelijke hormoon testosteron produceren, essentieel voor je mannelijke functies en uiterlijke kenmerken (spiermassa en beharing bijvoorbeeld). Je zaad komt via een netwerk van buisjes uit in je bijbal.

Je *bijballen* of *epididymes* liggen als een boon aan de achterkant van elk van je zaadballen. Een bijbal is een ragfijne buis die, 'uitgerold', een lengte heeft van wel 6 meter. Hierin worden zaadcellen verzameld die nog niet zelf kunnen bewegen. In de drie weken dat ze hier blijven rijpen ze, worden ze beweeglijker en zijn uiteindelijk klaar om te bevruchten. Slechte en dode zaadcellen verdwijnen.
De bijballen gaan over in de zaadleiders. Die gaan in de prostaat over in je urineleider.

Je *prostaat* is een grote klier (ook wel *voorstanderklier* genoemd) die onder je blaas zit. Deze klier scheidt, voornamelijk tijdens je zaadlozing, vocht uit. Het prostaatvocht is nodig om het (geconcentreerde) zaad dat vanuit je bijbal via je zaadleiders in je urineleider komt, vloeibaar te maken. Het zaad wordt bovendien verrijkt met voedingsstoffen (fructose) dankzij twee andere klieren: de zaadblaasjes (*vesicula seminalis*). Deze zitten naast je prostaat. Dankzij deze voedingsstoffen kunnen je zaadcellen langer overleven.
De prostaatvloeistof en de vloeistof uit de zaadblaasjes vormen samen het grootste deel van het sperma.

> **Het lijkt een enorme verspilling: per zaadlozing komen er meer dan 40 miljoen tot zelfs 500 miljoen zaadcellen vrij.**

Je *sperma* bestaat uit zaadcellen (*spermatozoa*) en het prostaatvocht. Als je klaarkomt lijkt de hoeveelheid sperma vaak erg veel. Toch is dat niet zo: normaal gesproken is het niet veel meer dan 2–5 ml. Maar hierin zitten tussen de 20 en 80 miljoen zaadcellen per milliliter.

De vrouw

De vrouwelijke geslachtsorganen zijn de vulva, vagina, baarmoeder, eileiders en eierstokken. Mannen weten over het algemeen heel goed hoe hun

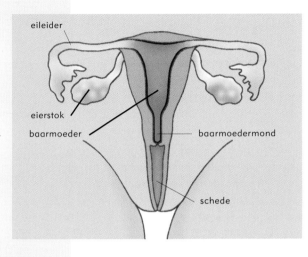

geslachtsdelen eruitzien,
want het meeste daarvan zit
bij hen aan de buitenkant
van hun lichaam. Vrouwen
daarentegen, hebben een
spiegel nodig als ze willen
zien hoe hun externe
geslachtsorganen eruitzien.
Mocht je nog nooit gekeken
hebben: neem eens een
keer de moeite om dat toch
te doen. Het kan immers
nooit kwaad om te weten
hoe je eruitziet.
Jammer genoeg gebruiken

anatomie
vrouwelijke
geslachts-
organen

we in de Nederlandse taal het voorvoegsel 'schaam' om zaken met
betrekking tot de geslachtsorganen aan te duiden. Alsof je je zou moeten... juist.

Je *vulva* bestaat uit je schaamheuvel, je grote en kleine schaamlippen en
je clitoris. Je schaamheuvel (met een veel mooier woord 'venusheuvel') is
behaard, net als je grote schaamlippen. Op die plaats zit veel onderhuids
vetweefsel.
Misschien is het je opgevallen dat je kleine schaamlippen geen beharing
hebben en vooraan samenkomen in de *clitoris*. De clitoris (of kittelaar) is
het gevoeligste deel. Hier komen heel veel zenuwen bij elkaar. Ze kan
opzwellen als je ertegen-
aan wrijft en/of bij seksuele opwinding. Bij de
ontwikkeling van de
geslachtsorganen bij een
embryo is dit het deel dat
zich bij een jongetje tot
eikel ontwikkelt.
Iets onder je clitoris zit de
uitgang van je urinebuis.

> **Penissen kunnen behoorlijk
> verschillen in grootte en dikte.
> Ook vrouwelijke geslachtsdelen
> zijn verschillend, al valt dat een
> stuk minder op. Vooral de kleine
> schaamlippen kunnen duidelijk wat
> kleiner of groter zijn.**

De opening van je *schede* of *vagina* wordt aanvankelijk deels afgesloten door het maagdenvlies. Nadat je voor het eerst gemeenschap hebt gehad scheurt het maagdenvlies iets in. Hier kan je wat bloedverlies door hebben gekregen, maar dat hoeft niet. Dat inscheuren kan ook al eerder zijn gebeurd, bijvoorbeeld doordat je al tampons gebruikte. In sommige culturen is dit bloedverlies trouwens (nog steeds) erg belangrijk als bewijs van maagdelijkheid en eerbaarheid.

Je vagina is ruim 10 centimeter diep en is sterk doorbloed. Vóór je vagina loopt je urineleider en je blaas, achter je vagina loopt je endeldarm, het laatste stuk van je maagdarmkanaal.

Hoog bovenin wordt je vagina afgesloten door het eerste deel van je baarmoeder: je baarmoedermond.

Je *baarmoeder* of *uterus* is peervormig, en met een lengte van 8 tot 10 centimeter ook ongeveer zo groot als een peer. Binnen in je baarmoeder is een ruimte, een holte. Echter, zolang deze niet gevuld is, liggen de wanden tegen elkaar aan en lijkt het geen echte holte.

Dit is de plek waar een baby kan groeien; die wordt er gevoed en zit daar veilig en warm.

Het onderste deel van je baarmoeder is je *baarmoedermond* (cervix). Deze bestaat voornamelijk uit bindweefsel. Het bovenste, grootste deel is je baarmoederlichaam zelf: het *corpus uteri*. Dit is in feite een grote (wel heel speciale) spier.

De baarmoederholte is bekleed met slijmvlies. Dit wordt opgebouwd in de loop van je cyclus en weer afgestoten tijdens je menstruatie.

Je *eileiders* of *tubae* kun je beschouwen als enorm verfijnde transport-middelen.

Het zijn twee ongeveer 10 centimeter lange buisjes die vanuit de boven-hoeken van je baarmoeder naar je eierstokken lopen. Het uiteinde van een eileider heeft de vorm van een trechter. Deze heeft als het ware lange fluweelachtige 'vingers' die naar je eierstok reiken, klaar om de eitjes op te vangen.

De wand van je eileider is gespierd. Het slijmvlies aan de binnenkant is sterk geplooid en bekleed met heel veel trilhaartjes. Met behulp van de spierwerking transporteren de trilhaartjes het eitje na de eisprong rich-ting baarmoeder. Er is zelfs waargenomen dat vóór de eisprong de tril-haartjes de andere kant op wuiven, zodat ze eventuele zaadcellen in de richting van de eierstokken ophelpen.

Je kunt je voorstellen hoe kwetsbaar de eileiders zijn. Eén enkel litteken, ontstaan door bijvoorbeeld een infectie, kan hun functie al verstoren.

In de *eierstokken* of *ovaria* worden al bij het ongeboren meisje de eicellen aangelegd. Het allereerste begin wordt gemaakt in de 11e week van de zwangerschap. Het maximale aantal eicellen is bereikt in de 20^e tot 25^e week.

Deze eicellen ontwikkelen zich verder tot *follikels*: er komt een blaasje om de eicellen heen. In dit stadium kunnen de onrijpe eicellen vele tientallen jaren wachten om uiteindelijk vrij te komen bij de eisprong. Maar er gaan er ook veel, heel veel verloren in de loop der jaren.
De totale eicelvoorraad is het grootst bij het ongeboren meisje van circa 20 weken oud: 5–7 miljoen. Hierna gaan er heel veel eitjes verloren: bij de geboorte zijn er nog maar één miljoen over. Rond de puberteit heb je er nog maar driehonderdduizend over. Uiteindelijk zullen er in je hele leven in totaal slechts 400 follikels uitrijpen en tot een eisprong komen.

> **Stel je toch eens voor: bij een ongeboren meisje van luttele weken oud, een embryo dus nog, zijn de eerste eitjes al aangelegd zodat zij later kinderen kan krijgen. Zij draagt dus al haar aandeel van haar nageslacht bij zich: de kleinkinderen van haar ouders!**

Deze kennis hebben we al sinds 1951. Maar in het voorjaar van 2004 is er een bijzonder onderzoek gepubliceerd, dat dit inzicht mogelijk overhoop gaat gooien. Er is namelijk ontdekt dat vrouwtjesmuizen de mogelijkheid hebben om tijdens hun leven nieuwe eicellen aan te maken. De theorie is dat ze dat kunnen dankzij stamcellen, oercellen, in de eierstok. Deze ontdekking is heel spectaculair: want waarom zou het alleen gebeuren bij vrouwtjesmuizen en niet bij álle vrouwelijke wezens, inclusief de mens?

Als dat zo zou zijn, dan moeten er veel ideeën worden bijgesteld. Bijvoorbeeld het grote verschil tussen man en vrouw: mannen kunnen hun hele leven zaadcellen blijven aanmaken, kunnen vrouwen dat ook met eicellen? Het werpt ook veel nieuwe vragen op: als de biologische klok bij vrouwen niet stopt omdat de eitjes op zijn, wat is er dan de oorzaak van dat haar vruchtbaarheid op een bepaalde leeftijd stopt?
Er zal nog veel meer onderzoek nodig zijn naar stamcellen. Stamcellen zijn heel bijzondere cellen: ze kunnen uitgroeien tot elk gewenst weefsel. Dat kan orgaanweefsel zoals darmweefsel zijn, bloedcellen, botweefsel, het maakt niet uit. Er is dus veel onderzoek naar het gebruik van stamcellen om door ziekte beschadigd weefsel te repareren.
Maar er is ook veel schroom: angst voor klonen, maar ook angst op religieuze en/of ethische gronden.

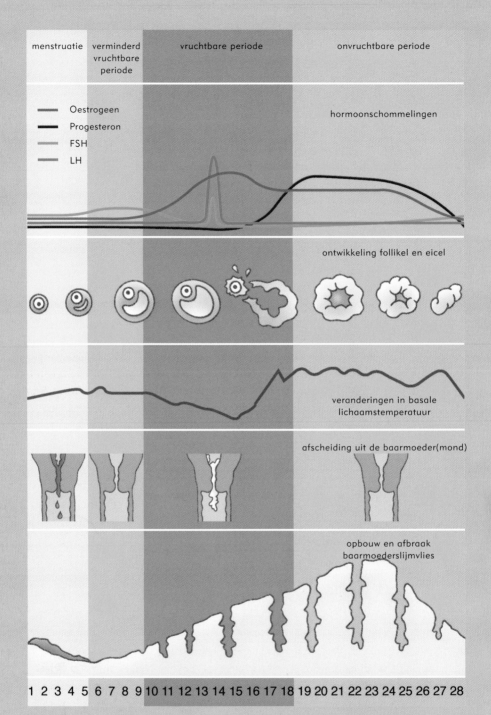

menstruatie	verminderd vruchtbare periode	vruchtbare periode	onvruchtbare periode

— Oestrogeen
— Progesteron
— FSH
— LH

hormoonschommelingen

ontwikkeling follikel en eicel

veranderingen in basale lichaamstemperatuur

afscheiding uit de baarmoeder(mond)

opbouw en afbraak baarmoederslijmvlies

1 2 3 4 5 6 7 8 9 10 11 12 13 14 15 16 17 18 19 20 21 22 23 24 25 26 27 28

Veranderingen tijdens de menstruatiecyclus

2

Je menstruatiecyclus

Wat gebeurt er precies tijdens je cyclus?

We bedoelen met je cyclus de veranderingen in je lichaam die met je menstruatie te maken hebben. De tijd die verstrijkt tussen de 1e dag van je menstruatie tot de dag dat een volgende menstruatie begint, omvat één cyclus.

Je eerste menstruatie zul je gehad hebben rond je 13e levensjaar. Dit kan natuurlijk variëren, en het kan ook per menselijk ras verschillen. Ook voeding speelt een rol: terugkijkend op de laatste eeuw blijkt dat de leeftijd waarop een meisje haar eerste menstruatie krijgt iets is vervroegd. Dit komt doordat we de laatste 50 jaar betere voeding krijgen.

De duur van je cyclus kan variëren. De overgrote meerderheid van de vrouwen heeft een cyclus van tussen de 21 en 35 dagen. Over het algemeen duurt een cyclus gemiddeld 28 dagen.

> **Je cyclus begint op de eerste dag van je menstruatiebloeding en eindigt op de laatste dag vóór de volgende bloeding.**

Het bloedverlies bij je menstruatie kan ook verschillen. Normaal gesproken vloei je 3 tot 8 dagen. De hoeveelheid is moeilijk aan te geven en erg subjectief. Wat jij veel vindt, vindt een ander misschien heel weinig.

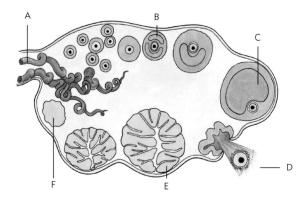

Eierstok

Dwarsdoorsnede van een eierstok. Alle stadia, van het rijpen van een eicel tot het te gronde gaan van het gele lichaam, zijn in deze afbeelding samengevoegd. Ter wille van de duidelijkheid zijn opeenvolgende stadia met de klok mee getekend.

A bloedvat

B groeiende follikel (eiblaasje)

C rijpe follikel met daarin vocht en de eicel

D ovulatie (eisprong)

E geel lichaam

F verschrompeld geel lichaam

Je menstruatiecyclus is een heel complex gebeuren in je lichaam. Hij wordt aangestuurd vanuit het deel van je hersenen dat de *hypothalamus* wordt genoemd. Deze produceert een hormoon (het LHRH) dat een klier in je hersenen, de *hypofyse*, aanzet tot het produceren van de hormonen FSH (follikelstimulerend hormoon) en LH (luteïniserend hormoon).

Eerst maak je FSH. Dit hormoon zorgt dat er eitjes (om preciezer te zijn: eiblaasjes of follikels) beginnen te rijpen in je eierstokken. Ze nemen enorm in omvang toe: uiteindelijk, vlak voor de eisprong, kunnen ze een doorsnede van ruim 2 centimeter bereiken.

Meestal rijpt er niet meer dan één eitje volledig uit. De andere gaan weer te gronde.

Met het rijpen van de eiblaasjes onder invloed van het FSH gaan de eierstokken meer oestrogenen produceren – hormonen die onder andere zorgen voor de opbouw van het baarmoederslijmvlies.

Op de 12ᵉ dag (uitgaande van een cyclus van 28 dagen) zijn er zo veel oestrogenen in je lichaam, dat je hypothalamus hierop reageert. Deze

scheidt weer hormonen (LHRH) af, zodat je hypofyse een grote hoeveelheid LH gaat maken. Zo ontstaat de zogenaamde LH-piek.

Die plotse hoeveelheid LH stimuleert de eisprong (ovulatie). Het eiblaasje knapt en het eitje zelf kan ontsnappen.

Soms kun je zelfs voelen dat er een
eisprong is door een plotselinge, onver-
klaarde buikpijn halverwege je cyclus,
laag onder in je buik, die één of meerdere
uren aanhoudt. Dit wordt ook wel *ovula-
tiepijn* ofwel *middenpijn* genoemd.

Onder invloed van het LH ontwikkelt het
lege eiblaasje zich tot het *gele lichaam*
(*corpus luteum*) en gaat nu een ander
hormoon produceren: het progesteron.
Het progesteron gaat je baarmoeder
voorbereiden op de ontvangst van een
bevrucht eitje. Het stopt het verder aan-
groeien van je baarmoederslijmvlies. Het
progesteron zorgt dat het slijmvlies uit-

> Je menstruatie
> wordt ook wel
> eens omschreven
> als de tranen van
> een teleurgestelde
> baarmoeder:
> misschien wel erg
> symbolisch als je
> al een poos
> zwanger wilt
> worden.

rijpt, waardoor het een perfecte voedingsbodem vormt voor een
bevruchte eicel om zich in te nestelen en door te groeien.

Als het eitje niet bevrucht is, sterft het af en lost op of wordt ongemerkt
met de menstruatie afgevoerd.

Gebeurt dat, dan ontvangt het gele lichaam geen signalen meer en ver-
schrompelt eveneens. Hierdoor stopt de aanmaak van progesteron dat
het slijmvlies in stand houdt. Het slijmvlies wordt afgestoten en je gaat
menstrueren.

Nog steeds bestaan er veel onbeantwoorde vragen over het hoe en
waarom van de menstruatiecyclus.

Het is een heel fijn afgesteld mechanisme dat makkelijk te beïnvloeden
is door zaken van buitenaf. Zoals eerder al genoemd is je voeding hier
van invloed op, maar ook roken en stress.

Heel bijzonder is het gegeven dat vrouwen die nauw met elkaar samen-
leven vaak ongeveer op hetzelfde moment ongesteld worden. Hun
'maandstonden' lijken zich aan elkaar aan te passen.

Je menstruatie wordt ook wel maanstonde genoemd. Een regelmatige cyclus houdt zich vaak aan de cyclus van de maan, die 28 dagen duurt

Wat gebeurt er met je tijdens je cyclus?

Veranderingen aan je baarmoedermond (cervix)

In het midden van je cyclus is je baarmoedermond wat minder stug en bovendien iets geopend rond de dag van je eisprong. Hierdoor is deze wat toegankelijker voor de zaadcellen.

Theoretisch zou je de veranderingen aan je baarmoedermond kunnen voelen met je vingers als je jezelf vaginaal onderzoekt. In de praktijk zijn de veranderingen zo subtiel dat ze met de vingers meestal niet waarneembaar zijn, zelfs niet voor een geoefend persoon als een gynaecoloog.

Cervixslijm

De functie van cervixslijm

Het cervixslijm wordt gemaakt door de baarmoedermond; het heeft een belangrijke taak bij de reis van de zaadcellen. Buiten de periode rond de eisprong is het slijm ondoordringbaar voor zaadcellen: het vormt een natuurlijke barrière. Met behulp van een microscoop kun je zien dat draadstructuren kriskras door elkaar heen lopen.

Rond de eisprong verandert dat: het slijm wordt helder en toegankelijk. Microscopisch zie je dat het beeld is veranderd: de draden liggen gestrekt naast elkaar. Ideaal voor zaadcellen om dit als het ware als klimmateriaal te gebruiken om de baarmoeder binnen te komen. Bovendien is het slijm rijker aan voedingsstoffen geworden, die de zaadcellen kunnen gebruiken om langer te overleven.

Zaadcellen die centraal door het slijm heen gaan kunnen binnen drie minuten na de zaadlozing in de baarmoederholte aankomen. Zaadcellen die langs de zijkant naar binnen reizen kunnen nog enige tijd in de plooien van de baarmoedermond schuilen, terwijl ze voeding halen uit het slijm. Nog *minimaal* 48 uur lang kunnen gezonde zaadcellen overleven en zo beetje bij beetje in de baarmoeder aankomen.

Wat merk je zelf van het cervixslijm?

Misschien is je al eens opgevallen dat soms je schede erg droog aanvoelt, en op andere momenten weer glad en vochtig. Dat komt onder andere door de aanwezige hoeveelheid cervixslijm.

De hoeveelheid en de structuur van dit slijm verandert in de loop van je cyclus onder invloed van de veranderende concentratie van je geslachtshormonen.

Direct na je menstruatie is er niet veel slijm: soms voelt je vagina erg droog, misschien zelfs onaangenaam jeukerig aan. Dat verandert in de loop van je cyclus: je schede wordt wat vochtiger.

Als je het slijm bekijkt, kan het je opvallen dat het er wit/gelig uitziet, misschien ook wat klonterig – troebel in ieder geval. Hoe dichter je tegen je eisprong aanzit, hoe helderder en rekbaarder het slijm wordt. Daar zorgt de toegenomen hoeveelheid oestrogenen voor die door je eierstokken gemaakt worden.

Neem je het slijm tussen je vingers (je kunt ook een wc-papiertje gebruiken), dan kun je het goed bekijken: direct ná je menstruatie is het slijm ondoorzichtig en niet rekbaar. Rond je eisprong zal het heel helder zijn, er zal ook duidelijk méér slijm zijn en het is rekbaar. Je kunt lange draden trekken tussen je vingers (of toiletpapier).

Iedere vrouw heeft zo haar eigen cyclus, en ook het beeld van het cervixslijm is min of meer uniek voor elke vrouw. Misschien herken je duidelijk de beschreven veranderingen, misschien heb je niet het idee dat je slijm ooit heel erg helder wordt. Toch zijn er veranderingen in de loop van je cyclus. Maar het waarnemen van deze veranderingen lukt waarschijnlijk alleen als je hier regelmatig aandacht voor hebt en er dus een beetje ervaren in wordt.

De dag dat het slijm het best is heet de *slijmpiekdag*. Deze dag is eigenlijk pas achteraf vast te stellen: op het moment dat de kwaliteit van het slijm vermindert kun je stellen dat je daarvóór je beste dag hebt gehad. Je eisprong vindt ergens tussen 2 dagen vóór en 2 dagen ná deze dag plaats.

Het bepalen van de dag van de eisprong door middel van het onderzoeken van je slijm wordt ook wel de Billingsmethode genoemd.

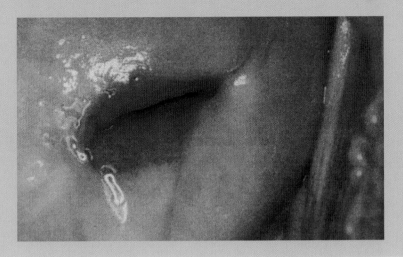

baarmoedermond
met helder slijm

Je temperatuur

Je temperatuur verandert in de loop van je cyclus. Doordat je eierstokken na de eisprong meer van het hormoon progesteron maken, is de temperatuur van je lichaam in de tweede helft van je cyclus (dus ná je eisprong) een paar tienden van een graad hoger. Dit werkt via een soort thermostaat in de hersenen.

Als je je eigenlijke (basale) temperatuur opmeet en deze bekijkt in de loop der dagen, kun je achteraf bepalen wanneer je een eisprong hebt gehad. Let wel: soms duurt het even voordat je temperatuur omhoog gaat. Het precieze tijdstip is afhankelijk van de gevoeligheid van je eigen thermostaat (warmtecentrum) voor progesteron.

Met het opmeten van je temperatuur kun je alleen *achteraf* bepalen dat er een eisprong moet zijn geweest. Dit heeft dus alleen zin als je wilt weten óf je (waarschijnlijk) wel een eisprong hebt. Is er direct een duidelijk beeld, dan hoef je zo'n meting niet nog een keer te doen. Blijft het bij herhaling onduidelijk, dan is het misschien een goed idee om contact op te nemen met je huisarts om dit te bespreken.

Het maken van een temperatuurcurve

Je kunt het verloop van je temperatuur in kaart brengen in een zogeheten basale temperatuurcurve (BTC). Daarbij heb je een temperatuurkaart nodig met een vakindeling met verticaal een indeling per tienden van °C, terwijl je op de horizontale balk de dagen van je cyclus moet invullen. (Je kunt zo'n temperatuurkaart eventueel downloaden via

www.freya.nl/btc.htm) Vervolgens moet je dagelijks je gemeten temperatuur op de lijst invullen (zie pagina 79).

Om een goed en betrouwbaar beeld te krijgen moet je dagelijks, direct
na het wakker worden en vóórdat je uit bed bent gegaan om bijvoorbeeld naar het toilet te gaan, je temperatuur opnemen. Je kunt dat het
best rectaal (via je anus) doen, want dat geeft de betrouwbaarste temperatuur. Neem hier voldoende tijd voor: het beste is om altijd dezelfde
thermometer te gebruiken en deze 3 minuten lang de tijd te geven om
de juiste temperatuur op te nemen.

Verzeker je ervan dat je een *goede* thermometer gebruikt: als je een
digitale thermometer gebruikt, dan moet deze de temperatuur weerge-
ven in twee cijfers achter de komma. Als het tweede cijfer achter de
komma 4 is of minder, dan rond je naar beneden af. Is het 5 of meer,
dan rond je naar boven af. Voorbeeld: 36,65 of 36,69 of 36,72 wordt
36,7 °C, 37,34 wordt 37,3 °C. Bovendien moet er een goede batterij in
zitten. Een enkele keer is de temperatuurvoeler verouderd en werkt deze
niet (meer) goed.

Houd er rekening mee dat er ook andere factoren kunnen zijn die je
temperatuur beïnvloeden. Een slecht werkende thermometer, een hogere temperatuur door ziekte, maar ook een verstoorde nachtrust, laat
naar bed gaan, uitgaan of een uitgebreid diner of zelfs stress kan je
temperatuur beïnvloeden. Daarom is het handig om dit soort zaken te
noteren op je lijst, zodat je achteraf kunt terugzien of een verhoogde
temperatuur aan iets dergelijks geweten kan worden.

Noteer ook het tijdstip dat je je temperatuur hebt opgenomen. Bij de
een maakt het niet uit of ze uitslaapt, de ander heeft bijvoorbeeld in de
uitslaapweekeinden een wat verhoogde temperatuur. Ook hier geldt
weer: leer je lichaam kennen.

Je borsten

Ook je borsten doen mee aan je cyclus. Onder invloed van de toename
van het hormoon progesteron (na de eisprong) groeien je borsten wat.
Je kunt dat soms merken doordat ze wat gespannen en pijnlijk aan gaan
voelen. In een enkel geval is dat al heel gauw na de eisprong, maar
meestal gebeurt dit tegen het eind van je cyclus. Misschien merk je het
op het moment dat je de trap af rent: je borsten zijn gevoeliger.

Het kan ook zijn dat je hier helemaal niets van merkt. Maar troost je: je
kunt niet veel met dit gegeven, behalve er een bevestiging in vinden dat
er inderdaad hormonale veranderingen zijn in je lichaam.

Je urine

In je urine zijn hormonen terug te vinden. Als je zwanger wilt worden is het meest relevante hormoon het LH: dit hormoon wordt vlak voor je eisprong plotseling sterk aangemaakt (de eerder genoemde LH-piek). Er zijn tests in de handel waarmee je kunt bepalen of dit hormoon in je urine zit. Zo kun je de dag van je eisprong bepalen en dus het tijdstip waarop je het meest vruchtbaar bent. Het eitje is na de eisprong maximaal 24 uur goed genoeg om bevrucht te worden.

> Vanaf 6 dagen voor je eisprong ben je soms al vruchtbaar. Na je eisprong is het snel over: je kunt dus het beste vrijen in de dagen vóór je eisprong.

Toch is het advies om niet alleen gemeenschap te hebben op de dag waarop je je LH-piek hebt vastgesteld. Tegenwoordig komt men steeds meer tot de conclusie dat je vruchtbare tijd al heel kort na de eisprong voorbij is – je kunt daarentegen al vanaf 6 dagen voor de eisprong vruchtbaar zijn. Als je zwanger wilt worden, heb je de meeste kans om zwanger te raken als je in die periode heel regelmatig gemeenschap hebt.

Je stemming

Soms ervaar je de veranderingen in je cyclus elke keer weer als erg belastend. Telkens weer leveren de lichamelijke veranderingen als gespannen borsten en een opgeblazen gevoel tegen het einde van je cyclus klachten op waar je moeilijk aan voorbij kunt gaan. En telkens weer ben je aan het einde van je cyclus prikkelbaar, gespannen en somber.

Veel vrouwen zullen dit in lichte mate herkennen, maar naar schatting 4% van de westerse vrouwen heeft hier in ernstige mate last van. Je kunt, in de periode dat je tegen je menstruatie aanzit, zodanig wisselende stemmingen krijgen en zozeer aan stress ten prooi vallen dat je het gevoel krijgt dat je de controle over je situatie verliest. Dat is vervelend voor je omgeving, maar zeker vervelend voor jou.

Het gaat bovendien vaak gepaard met lichamelijke klachten als gespannen borsten, een opgezette buik en/of buik- of hoofdpijn.

Als dit beeld elke keer weer op hetzelfde moment (de tweede helft) in je cyclus te plaatsen is, dan kan het zijn dat je er het etiket *premenstrueel syndroom* (PMS) op kunt plakken. Hoewel heel duidelijk de cyclische hormonale veranderingen in je lichaam hierbij een rol spelen, heeft men nooit echt een medische oorzaak kunnen vinden. Tegenwoordig wordt PMS in de psychiatrie *premenstrual dysphoric disorder* (PMDD) genoemd. Deze term doet meer recht aan het idee dat het niet zozeer een lichamelijk maar een psychisch probleem is.

In eerste instantie zal geprobeerd worden om je te helpen door je leefregels te geven in de vorm van dieetadviezen (zoals matig zijn met koffie, alcohol en koolhydraatrijk voedsel). Ook ontspanningsoefeningen kunnen je wat soelaas bieden. Daarbij kan openheid naar en wellicht daardoor begrip vanuit je omgeving je enorm helpen.

Alleen als deze dingen onvoldoende effect hebben, kan geprobeerd worden je met medicatie verder te helpen. Helaas helpen de meeste medicamenten, vitaminepreparaten en voedingssupplementen niet beter dan placebo's (placebo's zijn 'medicijnen' zonder werkzame stof: bijna letterlijk 'zoethoudertjes'). Desalniettemin kunnen ze een positief effect hebben, al is het alleen al door de erkenning dat er 'iets' aan de hand is.

Je cyclus in het kort:

- Dankzij hormoonveranderingen bereidt je lichaam zich voor op de eisprong. Je baarmoederslijmvlies groeit en maakt zich klaar om een (bevrucht) eitje te ontvangen.
- In je eierstokken rijpen eitjes, tot er één volledig tot rijping komt en wordt uitgestoten: de eisprong. De eisprong kun je soms bemerken door een kortdurende onderbuikpijn midden in je cyclus.
- De eisprong wordt voorafgegaan door de LH-piek. Deze kan aangetoond worden in de urine.
- Het eitje is ongeveer 24 uur goed genoeg om bevrucht te worden.
- Je baarmoedermond maakt steeds meer en beter slijm zodat rond de eisprong het slijm helder, voedselrijk en doorgankelijk is voor zaadcellen. Deze kunnen nu minimaal 48 uur tot soms wel 6 dagen overleven.
- Je lichaam wordt enkele tienden van een graad warmer in de tweede helft van je cyclus, nadat er een eisprong is geweest.
- In de tweede helft van je cyclus kun je soms merken dat je borsten gevoeliger en wat gespannen worden.
- Als het eitje niet bevrucht wordt zul je na 12 tot 16 dagen het opgebouwde slijmvlies afstoten door te gaan menstrueren. Je lichaam zal weer aan een nieuwe cyclus beginnen.

Slechts bepaalde antidepressiva zijn bewezen effectief in 60–75% van de onderzochte gevallen. Het gebruik van de pil om je cyclus te onderdrukken blijkt niet of nauwelijks effectief.

Je menstruatiebloeding

Zoals je wellicht al hebt gemerkt, zit ieder lichaam anders in elkaar. Er zijn soms dingen waarbij je jezelf afvraagt of dat wel normaal is. Als je al jaren de pil hebt gebruikt, kun je na het stoppen met de pil verrast worden door de veranderingen in je lichaam. Je ervaart de dingen anders, voelt meer pijntjes of je lichaam reageert anders op je cyclus dan je verwacht.

Je kunt het idee krijgen dat die veranderingen in je lichaam abnormaal zijn. Je hebt klachten of vermoedt dat de dingen die bij jou gebeuren anders zijn dan bij een ander. Je wordt bijvoorbeeld verrast door je eigen humeur of je vindt dat je wel erg veel (of weinig) menstrueert.

Misschien kun je erover praten met een zus of een vriendin. Dan kom je er soms achter dat het helemaal niet raar is wat je overkomt. Heel veel klachten rond je menstruatie zijn terug te voeren op hormonale veranderingen. Hieronder volgen een paar zaken die je kunnen opvallen betreffende je menstruatie.

De hoeveelheid bloedverlies die je hebt bij je menstruatie

Het is erg moeilijk om op het oog in te schatten hoeveel je vloeit tijdens een menstruatie. Onderzoekers hebben gemeten dat je normaal gesproken rond de 35 ml bloed verliest gedurende één menstruatie. Ter vergelijking: dat is slechts een kwart kopje bloed verspreid over 3 tot 8 dagen. Verlies je meer dan 120 ml, dan is dat echt erg ruim en heb je grote kans op ijzertekort. Natuurlijk is het voor jouzelf niet haalbaar om dit te meten, en ook je huisarts zal dat niet doen.

Dus is de vraag: hoe kun je dan wel vaststellen of het veel is? Als je elk uur je tampon of maandverband moet wisselen omdat je anders doorlekt dan lijkt het wel veel. Mogelijk verlies je zelfs stolsels tijdens je menstruatie. Misschien weet je niet beter: als je vanaf je puberteit al gewend bent om royaal te vloeien, heb je ermee leren leven en accepteer je het als normaal.

Als je de pil gebruikt ben je gewend om minder te vloeien. Stop je met de pil, dan kun je het idee hebben dat je nu wel erg veel vloeit terwijl je in werkelijkheid misschien maar 20 ml bloed verliest gedurende je menstruatie.

Als je een (koperhoudend) spiraaltje hebt, kan een bijwerking daarvan zijn dat je meer gaat vloeien; een spiraaltje dat progesteron bevat geeft daarentegen vaak minder bloedverlies.

Als je veel bloed verliest

Soms verlies je stolsels. Dat gebeurt dan vooral 's ochtends nadat je bent opgestaan. 's Nachts heeft het bloed zich opgehoopt in je vagina, stolt en komt pas naar buiten als je opstaat. Als je in de loop van de dag ook steeds stolsels verliest, lijkt dat wel erg veel.

Ook als je onverwacht duidelijk meer vloeit dan je eerst deed, kan dat reden zijn om je huisarts op te zoeken. Die zal proberen aan de hand van wat je vertelt in combinatie met bloedonderzoek (om te bepalen of je misschien zelfs bloedarmoede hebt gekregen) en eventueel een inwendig onderzoek inschatten of verder onderzoek nodig is.

De hoeveelheid bloedverlies bij je menstruatie is in ieder geval afhankelijk van hoe dik je baarmoederslijmvlies is geworden in de loop van je cyclus. Zoals eerder uitgelegd, wordt de opbouw van baarmoederslijmvlies geregeld door hormonen die door de eierstokken worden geproduceerd. Als die hormonen goed in balans zijn, zorgen ze voor een regelmatige cyclus en normaal bloedverlies. Als je ouder wordt en de overgang nadert (maar ook als je nog heel jong bent) wordt die hormoonproductie onregelmatiger. Dan kan soms je baarmoederslijmvlies dikker worden en verlies je meer bloed tijdens je menstruatie.

Je baarmoeder zelf heeft ook invloed op je menstruatie. Soms is er een poliep of vleesboom (myoom) aanwezig die het normale bloeden verstoort.

Mogelijk heb je last van *adenomyose* of *endometriose*: het slijmvlies zit dan op een andere plaats dan aan de binnenkant van je baarmoeder. Het kan in de baarmoederwand zelf zitten, maar ook zelfs buiten de baarmoeder. Ook dat slijmvlies doet mee aan de normale veranderingen tijdens je cyclus. Hierbij kun je overigens nog meer last hebben van flinke buikpijn tijdens de menstruatie dan van de hoeveelheid bloedverlies. Ook het stollingsvermogen van je bloed kan een rol spelen. Een enkele keer komt het ruime bloedverlies doordat je bloed niet goed stolt of doordat je bepaalde medicijnen (hebt) gebruikt.

Misschien stelt het je gerust dat bij 60% van de vrouwen die met deze klacht naar de gynaecoloog zijn geweest er geen oorzaak voor wordt gevonden.

(Te) veel bloedverlies tijdens menstruatie kun je herkennen aan:

– verlies van stolsels
– bloedarmoede en ruime menstruatie
– lange duur van je menstruatie (> 7 à 8 dagen)

Oorzaken:

– verstoorde hormoonhuishouding
– poliep/vleesboom
– gebruik van koperhoudend spiraaltje
– (vroege) miskraam
– endometriose in de baarmoederwand
– stollingsstoornis/medicijngebruik

Als je onregelmatig bloedverlies hebt

Als je steeds tussen je menstruaties door bloedverlies hebt, dan is het belangrijk om altijd te laten onderzoeken of hier een oorzaak voor te vinden is. Probeer te ontdekken of je er toch duidelijk een menstruatiecyclus in kunt vinden.

Gebeurt het terwijl je de (prik)pil gebruikt, dan noem je dat een doorbraakbloeding. De oorzaak hiervan is in de meeste gevallen onschuldig: de hoeveelheid hormonen in die pil voldoet dan niet om je slijmvlies evenwichtig op te bouwen. Daardoor krijg je tussendoor wat bloedverlies. Gebruik je geen hormonale voorbehoedsmiddelen en heb je naast je menstruatie tussentijds bloedverlies, dan kan dat komen doordat er afwijkingen zijn aan je baarmoedermond of -hals. Hierbij moet je denken aan een uitloper van het slijmvlies (*ectropion*), een ontsteking (geslachtsziekte als *chlamydia*) of een poliep in de baarmoederhals. Je kunt dan ook na het vrijen wat bloedverlies hebben (de zogeheten contactbloeding). Ook een vleesboom kan tussentijds bloedverlies geven. Om het lijstje compleet te maken (met een gelukkig veel zeldzamer oorzaak) moet de arts ook kanker aan eierstok, baarmoeder of baarmoederhals in het achterhoofd houden.

Heel misschien ben je zwanger: soms nog zonder dat je het weet. Als de zwangerschap niet goed zit (dreigende vroege miskraam, buitenbaarmoederlijke zwangerschap of een zogeheten molazwangerschap – wanneer de placentavlokken zich ontwikkelen tot een gezwel van kleine blaasjes) kun je ook onregelmatig bloedverlies hebben.

Als je minder vaak menstrueert

Als je minder dan 10 maal per jaar menstrueert kan dat komen doordat je hormonen niet goed in balans zijn. Daardoor kan het gebeuren dat er meerdere eiblaasjes aan het rijpen slaan, maar geen ervan echt uitrijpt en tot een eisprong komt. Als er meerdere blaasjes tegelijk groeien in je

Oorzaken van bloedverlies tussen de menstruaties door:
(let op of je wel een cyclus herkent)

- hormonaal (bijvoorbeeld door pilgebruik)
- afwijkingen aan de baarmoederhals/-mond (ectropion, infectie, poliep)
- vleesboom/poliep in de baarmoeder
- problemen rond een jonge zwangerschap
- (zelden, maar toch:) kanker

eierstokken, wordt dit het *polycysteus ovariumsyndroom* ofwel het *PCO-syndroom* (PCOS) genoemd. Dit is te zien met behulp van echoscopie. Een minder frequente menstruatie kan ook komen doordat je hypofyse te veel van het hormoon prolactine maakt. Misschien heb je hier wel eens van gehoord: prolactine is vooral bekend als het hormoon dat ervoor zorgt dat je borsten melk kunnen maken. Een teveel aan prolactine kan een bijwerking zijn van bepaalde medicijnen (zoals bloeddrukverlagers of antidepressiva), maar het kan ook komen doordat je schildklier te traag of niet werkt. Een zeldzamer oorzaak is een (in de meeste gevallen goedaardig) gezwel in de hypofyse dat zorgt voor een overproductie van prolactine.

Uiteindelijk kan het ook zijn dat je te vroeg in de overgang raakt. Soms is dat erfelijk bepaald en zijn er meer vrouwen in je familie die dat is overkomen. Een vervroegde overgang kan ook komen doordat je eierstokken zijn beschadigd, door bijvoorbeeld chemotherapie, bestraling of een operatie.

Als je menstruatie (onverwacht) helemaal wegblijft

Als je menstruatie uitblijft moet je, zeker als je normaliter een (min of meer) regelmatige cyclus had, als eerste denken aan de mogelijkheid dat je zwanger bent!

Maar het kan ook komen doordat je veel stress hebt en/of heel erg slecht eet en ondervoed raakt. Als je menstruatie wegblijft en je om niet-aanwijsbare redenen juist erg veel bent aangekomen, kan het komen door een afwijkende werking van je schildklier. Ook het eerdergenoemde PCO-syndroom kan een oorzaak zijn.

Het kan gebeuren dat er iets is veranderd in je baarmoederholte. De wanden kunnen verkleefd zijn doordat ze beschadigd zijn, bijvoorbeeld door een curettage. De menstruatie blijft dan weg. Zo'n verkleving wordt het *syndroom van Ashermann* genoemd.

Wanneer de menstruatie bij een jong meisje niet op gang komt, kunnen oorzaken zijn:

– ondervoeding;
– schildklierstoornissen;
– een niet-doorgankelijk maagdenvlies;
– stoornissen van de bijnieren;
– afwijkingen in de chromosomen;
– aangeboren afwijkingen in de aanleg van de geslachtsorganen.

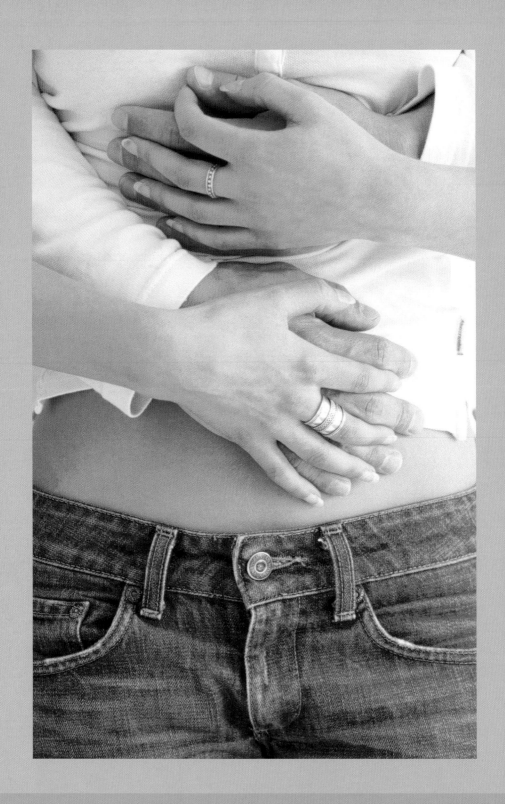

3

Een kinderwens
– voorbereiding en risicofactoren

Als je graag zwanger wilt worden, is het belangrijk om te weten welke factoren van invloed kunnen zijn op je vruchtbaarheid. Een aantal van die factoren kun je niet zelf beïnvloeden, maar sommige dingen heb je wél zelf in de hand. De adviezen die je kunt krijgen om zo gunstig mogelijke omstandigheden voor zwangerschap en geboorte te scheppen, worden tezamen *preconceptioneel advies* genoemd; adviezen vóór de conceptie (= bevruchting) dus. Hieronder vallen zaken als leefregels, het beperken van de gevolgen of (bij voorkeur) het voorkomen van bepaalde ziekten en infecties. Maar ook onderzoek en adviezen aangaande erfelijke aandoeningen vallen onder deze noemer, en de aandacht voor eventuele complicaties tijdens een eerdere zwangerschap en/of geboorte en de mogelijkheid van herhaling daarvan.

Het is belangrijk om bewust bezig te zijn met de dingen die van invloed kunnen zijn op je vruchtbaarheid; het verhoogt niet alleen je kansen om zwanger te worden, maar het zorgt er ook voor dat je niet achter de feiten aanloopt áls je zwanger bent. Het zou bijvoorbeeld jammer zijn als je leefregels als stoppen met roken en het slikken van extra foliumzuur pas in de praktijk zou gaan brengen als je al zwanger bent. Bovendien is het goed dat je rustig de tijd hebt om een en ander uit te zoeken als er sprake lijkt te zijn van een familiaire erfelijke aandoening.

> **Een gezonde leefwijze voor de zwangerschap is de basis voor een goede gezondheid van moeder en kind *tijdens* de zwangerschap.**

Er is wel een menselijke beperking in het in de praktijk brengen van de leefregels voor een optimale vruchtbaarheid en zwangerschap: hoe langer het duurt voordat je zwanger wordt, des te moeilijker het wordt om deze leefadviezen op te blijven volgen.

Hierna gaan we in op een aantal factoren die van invloed kunnen zijn op het zwanger worden, en ook wordt aandacht besteed aan zaken om bij stil te staan voor en tijdens je zwangerschap.

Risicofactoren voor je vruchtbaarheid

Geslachtsziekten

Het lijkt misschien vreemd om hiermee te beginnen, maar uitgezet in de tijd is het wel het meest logisch. Je moet allereerst alert zijn op het voorkómen van een geslachtsziekte.

Als je in je jonge jaren met het ontdekken van de liefde en seksualiteit onbezonnen hebt rondgedanst, kun je later voor grote problemen komen te staan doordat je een geslachtsziekte hebt opgelopen. Hier speelde de overheidscampagne *Als je later zwanger wilt worden, gebruik dan nú een condoom* op in.

Chlamydia

Van de infecties die je vruchtbaarheid ernstig kunnen aantasten is de seksueel overdraagbare aandoening (SOA) *chlamydia trachomatis* de meest voorkomende. Vroeger was dat overigens gonorroe (ook wel bekend als 'g.o.' of 'een druiper'), maar deze komt tegenwoordig veel minder vaak voor.

Doordat lang niet iedereen klachten heeft na besmetting met de chlamydiabacterie kan de infectie zich heel makkelijk ongemerkt verspreiden. En zo besmetten onbewust vele mensen elkaar.

Als je als vrouw één keer onveilig vrijt met een geïnfecteerde man, dan heb je 50% kans dat je de infectie oploopt. Als je als man vrijt met een geïnfecteerde vrouw, dan heb je 25% kans dat je de infectie oploopt. De tijd tussen de besmetting en het moment dat je klachten (symptomen) *kunt* krijgen – de incubatietijd – is 1 tot 3 weken.

De kans op ernstig beschadigde eileiders na chlamydia-infectie zonder *tijdige* behandeling:

na de 1e infectie	10–30%
na de 2e infectie	30–60%
na de 3e infectie	50–90%

Meest voorkomende soa's:

1. Chlamydia

2. Genitale wratten

3. Herpes genitalis

4. Gonorroe

5. Hepatitis B

6. Trichomonas

7. Syfilis

8. Hiv-infectie

9. Candida-infectie

10. Bacteriële Vaginose

11. Schurft

12. Schaamluis

Bron www.soa.nl

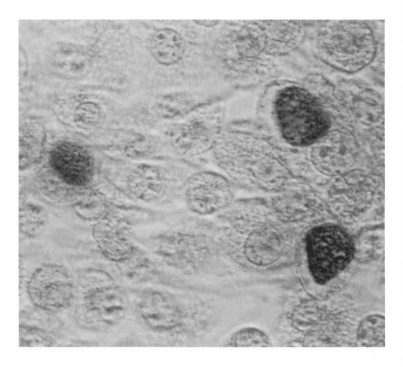

chlamydia-
bacteriën

Als je deze infectie ooit hebt opgelopen, betekent dat helaas niet dat je immuun bent geworden. Je kunt steeds opnieuw chlamydia krijgen.
Als je als vrouw een infectie met chlamydia oploopt, kan deze je eileiders zwaar beschadigen als je je niet tijdig laat behandelen. Het kan zelfs tot gevolg hebben dat je eileiders helemaal afgesloten raken, waardoor de zaadjes niet eens richting eierstok kunnen gaan.

Mocht de afsluiting gedeeltelijk zijn, dan kan de reis van het eventueel bevruchte eitje verstoord zijn. Hierdoor is het mogelijk dat het eitje zich buiten de baarmoeder innestelt, bijvoorbeeld in de eileider zelf. Zo'n buitenbaarmoederlijke zwangerschap heeft geen kans van slagen. Integendeel: deze kan zelfs levensbedreigend voor je zijn.

Ook bij mannen kan een chlamydia-infectie schadelijk zijn voor de vruchtbaarheid, zij het veel minder vaak. De chlamydia kan, indien de infectie niet wordt behandeld, opstijgen naar je prostaat of je bijbal (*epididymis*). Je bijbal bestaat uit een ragfijne buis die erg kwetsbaar is. Deze

> **Een chlamydia-infectie is de meest voorkomende oorzaak van beschadigde eileiders, met als gevolg een (sterk) verminderde vruchtbaarheid en/of buitenbaarmoederlijke zwangerschap.**

kan afgesloten raken, waardoor er geen of onvoldoende goed zaad bij je zaadlozing vrij kan komen.

Hoe kom je erachter of je een chlamydia-infectie hebt?

Natuurlijk kun je de infectie pas behandelen als je haar herkent. En dat laatste is niet altijd even makkelijk.

70% van de vrouwen met een chlamydia-infectie heeft geen (duidelijke) klachten. Hierdoor kan deze infectie ongestoord haar slopende werk doen. Misschien heb je achteraf gezien ongemerkt toch wat klachten gekregen: pijn bij het plassen, meer of andere afscheiding, tussentijds bloedverlies of bloedverlies en/of pijn bij het vrijen. Mogelijk heb je toch ook wat pijn in je onderbuik gehad.

> **Chlamydia is de meest voorkomende geslachtsziekte van deze tijd. Jaarlijks lopen 33.000 vrouwen en 27.000 mannen deze infectie op. Per jaar krijgen 20.000 vrouwen als gevolg hiervan een ontsteking aan het baarmoederslijmvlies of de (kwetsbare) eileiders, 1000 vrouwen worden onvruchtbaar door deze infectie en bij 300 vrouwen ontstaat een buitenbaarmoederlijke zwangerschap.**

Bij mannen leidt een chlamydia-infectie iets vaker tot klachten, maar toch nog 50% van de mannen merkt er niets of nauwelijks iets van. Klachten die je als man kunt hebben zijn: pijn bij het plassen of poepen, afscheiding uit je penis en/of pijn in je balzak.

Mocht je deze klachten herkennen, al is het van langer geleden, dan is het zinvol om je te laten testen. Vaak word je dan alsnog behandeld, net als je partner en eventuele ex-partners (omdat vaak niet duidelijk is hoe lang geleden en via wie je de infectie hebt opgelopen).

De belangrijkste test om een chlamydia-infectie aan te tonen is door middel van een weefselkweek van de baarmoedermond of plasbuis. Een nadeel is dat deze test belastend is (er moet een gynaecologisch onderzoek gebeuren), kostbaar, lang duurt (uitslag pas na 5–7 dagen) en niet in elk laboratorium uitgevoerd kan worden. De nieuwste chlamydiatest maakt gebruik van technieken waarbij DNA- of RNA-deeltjes (kleine stukjes van het erfelijk materiaal) van de bacterie worden vermenigvuldigd. Deze bepaling kan gedaan worden aan de hand van een urinemonster, een lichamelijk onderzoek is niet nodig, het is eenvoudig uit te voeren en de uitslag is snel voorhanden.

Op basis van deze urinetest is in september 2002 een groot onderzoek gestart in Rotterdam, Groningen, Heerlen en Tilburg. Er wordt geprobeerd in kaart te brengen hoe groot de omvang van het probleem precies is en of het zin heeft om landelijk te gaan screenen op chlamydia. Of je (ooit) een chlamydia-infectie hebt opgelopen is ook te onderzoeken door middel van het bepalen van de zogeheten CAT (chlamydia trachomatis antistoftiter) in je bloed. Omdat chlamydia zo'n belangrijke rol speelt bij vruchtbaarheidsproblematiek, is de CAT opgenomen in het oriënterend vruchtbaarheidsonderzoek (OFO) bij ongewenste kinderloosheid.

Als een zwangere vrouw besmet is met chlamydia en dit wordt niet ontdekt, dan kan de baby tijdens de geboorte besmet worden. De baby kan dan een oog- of longontsteking oplopen. Je kunt tijdens je zwangerschap zonder bezwaar worden behandeld voor chlamydia. Het kind loopt dan geen risico meer om deze infectie te krijgen.

Hoe kun je chlamydia voorkomen?

Zoals gezegd, kan een chlamydia-infectie aanzienlijke schade aanrichten. Daarom kun je er niet alert genoeg op zijn, en voorkomen dat je deze infectie oploopt is natuurlijk het allerbeste.

Chlamydia nestelt zich in de slijmvliezen. In eerste instantie zul je denken aan infectie van het slijmvlies van de geslachtsorganen. Maar de infectie kan ook overgedragen worden op het slijmvlies van de anus of mond, natuurlijk afhankelijk van hoe je seks hebt. De combinatiepil (het meest gangbare type anticonceptiepil) kan een bijdrage leveren aan de bescherming van de baarmoeder en eierstokken doordat deze pil het slijm in de baarmoedermond ondoordringbaar maakt

Met het kiezen voor goede voorbehoedsmiddelen, bij voorkeur in combinatie met condoomgebruik, kun je je vruchtbaarheid voor de toekomst zo optimaal mogelijk beschermen. Daar kun je jezelf later een heleboel verdriet en frustratie mee besparen.

voor zaadcellen. Daardoor kunnen de bacteriën die met deze zaadcellen meereizen ook slechter de baarmoeder binnendringen. Toch biedt dit zeker geen 100% bescherming. Beter is het om ook condooms te gebruiken.

Als je geen vaste partner hebt is het sowieso verstandig om condooms te gebruiken. Je beschermt daar namelijk ook de baarmoedermond zélf mee. Als je wisselende contacten hebt, heb je, naast alle meer algemeen bekende besmettingen, namelijk ook kans op besmetting met het HPV-virus (humaan papilloma virus); sommige typen van dit virus worden in verband gebracht met het ontstaan van baarmoederhalskanker.

Stress

Veel onderzoeken geven aan dat stress je vruchtbaarheid beïnvloedt. Zelf ken je de verhalen ook wel dat paren lang bezig zijn om zwanger te worden en, op het moment dat ze op vakantie zijn met de bedoeling afleiding te vinden en het los te laten, ze onverwacht zwanger terugkomen.

Zwanger proberen te worden met de nodige vruchtbaarheidsbehandelingen kan op zich een reden voor stress zijn, en zo kun je in een vicieuze cirkel terechtkomen.

Een recent onderzoek onder vrouwen die een vruchtbaarheidsbehandeling ondergingen wees uit dat bij vrouwen die aangaven meer stress te hebben in vergelijking met andere in dezelfde situatie, tijdens een IVF-behandeling minder eicellen te vergaren waren dan bij die andere vrouwen. Ook werden er minder eicellen bevrucht, waardoor er minder embryo's over waren om terug te plaatsen. Daarom werd er extra emotionele begeleiding en een ontspanningsprogramma aan paren aangeboden die onder behandeling stonden voor hun vruchtbaarheidsproblematiek. Het leek erop dat vervolgens meer vrouwen zwanger raakten.

Ook extreme lichamelijke arbeid en sport hebben een link met verminderde vruchtbaarheid. Zo kan bij vrouwelijke topsporters de menstruatiecyclus helemaal stilvallen, met als gevolg dat er ook geen eisprong plaatsvindt.

Als er dan een advies gegeven moet worden, luidt dit dat je niet meer dan 6 à 7 uur per week moet sporten als je zwanger wilt worden.

Extra risicofactoren voor de vruchtbaarheid bij de man

Zaadballen – het indalen en de invloed van temperatuur

Cryptorchisme

Als een jongetje geboren wordt, wordt bij het eerste uitwendig onderzoek direct na de geboorte gevoeld of de balletjes zijn ingedaald. Als het ongeboren jongetje 7 maanden oud is, dalen de balletjes via het lieskanaal tot in de balzak. Bij de meeste jongetjes (95,5%) zitten de balletjes dan ook bij de geboorte al in de balzak. Bij de jongetjes waarbij dit nog niet het geval is, dalen de balletjes in de meeste gevallen in het eerste levensjaar alsnog in.

Het is belangrijk dat dit gebeurt, omdat je zaadballen een lagere temperatuur verdragen dan je lichaam heeft: dat scheelt enkele graden. Het is slecht voor de kwaliteit van het zaad als de zaadballen langdurig te warm zitten.

Als de testikels niet zijn ingedaald en ook niet op hun plaats te brengen zijn vanuit het lieskanaal, heet dit met een medische term *cryptorchisme*. Slechts bij 1,2% van alle jongetjes ouder dan 1 jaar is dat aan de orde en zal verder onderzoek nodig zijn. Kan de arts de balletjes toch nog vinden en door het lieskanaal omlaag duwen, dan blijven ze soms zitten (al willen ze bij koude nog wel eens terug het lieskanaal inschieten doordat de balzak dan samentrekt). Soms moet het operatief gebeuren: dat gebeurt meestal op 2-jarige leeftijd. Een enkele keer echter zijn de balletjes helemaal niet terug te vinden.

Bij jou als man is het dus een belangrijk gegeven of je testikels inderdaad in je balzak zitten, of je hier ooit operatief aan bent geholpen of dat er verder onderzoek nodig is. Verder onderzoek is zeker nodig als je zaadballen nergens te ontdekken zijn: soms moet dan een kijkoperatie (laparoscopie) worden gedaan. Zijn ze ook dan niet terug te vinden, dan is er bij het ontstaan van je geslachtsorganen iets fout gegaan. Bij een vermoeden hiervan zal ook onderzoek worden gedaan naar je chromosomen.

Externe warmte

Onderzoek is ook gedaan naar schade van *warmte van buitenaf*, zoals bijvoorbeeld de sauna. Het blijkt dat er minder zaadcellen in je zaadlozing zitten als je minimaal 20 minuten in de sauna bent geweest. Dit effect ontstaat binnen een week en is kortdurend: maximaal 10 weken later is alles weer bij het oude. Dus blijvende schade mag je hier niet van verwachten. Het is bovendien niet zo dat bij minder zaadcellen je per definitie minder vruchtbaar bent: je praat normaliter altijd nog over vele miljoenen zaadcellen.

> **Hoewel je je zou kunnen voorstellen dat ook strakke kleding invloed zou kunnen hebben op de temperatuur van je zaadballen, wordt eraan getwijfeld of dat echt zo is. Gelukkig maar: jonge mannen zullen eerder gemotiveerd zijn om wijde broeken dragen wanneer dat in hun modebeeld past dan om hun vruchtbaarheid te beschermen.**

Ook koorts kan invloed hebben op de kwaliteit van je zaad. Dit is voorbijgaand, al kan het wel soms een goede twee maanden duren voordat je zaad weer op peil is.

De bof

De (kinder)ziekte *de bof* kan infectie van je zaadbal(len) veroorzaken en mogelijk daarmee je vruchtbaarheid aantasten. De laatste inzichten trekken dit echter enigszins in twijfel. Toch is dit de reden dat bij de inentingen op jonge leeftijd je gelijktijdig wordt gevaccineerd tegen de bof. Dat meisjes die vaccinatie ook krijgen is meer uit gemak vanuit organisatorisch oogpunt.

Varicokèle

Een *varicokèle* is een spatader in je balzak. Er zit dan een zwelling in je balzak die groter wordt als je perst. Deze wordt wel eens aangewezen als de oorzaak van verminderde vruchtbaarheid. Het idee is dat door dit vergrote bloedvat de temperatuur in de balzak hoger is, wat ongunstig is voor het zaad. Om die reden wordt soms een (kleine) operatie verricht in de hoop dat dit, bij een onvervulde kinderwens, soelaas zal bieden. Het is echter niet bewezen dat dit helpt, dus als je verder geen klachten hebt zoals pijn of een zwaar gevoel, dan is een operatie niet nodig.

Risicofactoren voor vruchtbaarheid en zwangerschap

Leeftijd

De vrouw

Bij vrouwen heeft leeftijd een uitgesproken invloed op hun vruchtbaarheid en zwangerschap.

Zoals je inmiddels weet zijn al je eicellen in aanleg al aanwezig vóór je geboorte. In de loop der tijd nemen ze fors in aantal af. Van de 5 miljoen die er oorspronkelijk aangelegd waren, heb je er bij je geboorte nog maar één miljoen over; bij de start van je menstruatie in je puberteit heb je er nog 300.000 over. De afbraak gaat zo snel dat tegen de tijd dat je 37–38 jaar bent je er nog maar 25.000 over hebt. Waarschijnlijk worden de kwalitatief beste eitjes het eerst gebruikt, wat weer inhoudt dat ook de kwaliteit van de eitjes met de jaren achteruitgaat. Daardoor neemt de kans op chromosomale afwijkingen bij het kind toe. Dat is natuurlijk wel iets om bij stil te staan.

> **Met het stijgen van je leeftijd heb je als vrouw een toenemende kans op problemen met je vruchtbaarheid, je hebt een verhoogde kans op miskramen en je hebt meer kans op chromosomale afwijkingen bij je kind.**

Al zijn er volgens de allernieuwste berichten aanwijzingen dat vrouwen mogelijk nog eicellen bij zouden kunnen maken, feit is dat de biologische klok hoe dan ook doortikt. Op een gegeven moment kom je onherroepelijk in de overgang, en houdt de mogelijkheid om zwanger te worden echt op.

Je bent het vruchtbaarst tussen je 21e en 29e jaar (de optimale leeftijd valt zelfs tussen de 21 en 25 jaar). Het is goed voor te stellen dat je hierbij je wenkbrauwen fronst: de gemiddelde leeftijd in Nederland waarop een vrouw zwanger wordt van haar eerste kind is ruim 29 jaar. Als jij zelf op dit moment ouder dan 29 jaar bent, ligt jouw vruchtbaarste periode dus achter je. Toch kan het geen kwaad om wat inzicht te krijgen in wat de invloed van je leeftijd op je vruchtbaarheid is. Daardoor is het misschien makkelijker voor je om te accepteren dat het iets langer kan duren om zwanger te worden (zie ook de tabel op bladzijde 72).

Uit de statistieken blijkt dat 25% van de gezonde jonge vrouwen in de eerste cyclus nadat ze gestopt is met voorbehoedsmiddelen al zwanger wordt. Als je 35 bent dalen je kansen: die zijn dan gehalveerd (10% kans om zwanger te raken in je eerste cyclus), en als je 38 bent is dat afgenomen tot een kwart hiervan (6%). Voor alle duidelijkheid: het is dus niet zo dat een vrouw van 38 maar 6% kans heeft om zwanger te worden – het duurt op die leeftijd alleen vier keer zo lang ten opzichte van vrouwen van rond de vijfentwintig. Van alle jonge vrouwen die zwanger willen worden en afwachten zonder verder onderzoek te laten doen is de overgrote meerderheid binnen 2 jaar zwanger. Bij 38-jarigen zou dat 5 jaar kosten: dit is natuurlijk puur theoretisch, want met het wachten word je weer ouder en nemen je kansen verder af. Dat is de reden dat medici eerder geneigd zijn om een actieve houding aan te nemen als je ouder bent: je hebt veel minder tijd om te verliezen.

Franse onderzoekers hebben berekend hoe groot de kans is op zwangerschap voor vrouwen boven de 30 jaar. Hieruit bleek dat het verlies aan vruchtbaarheid door de leeftijd, *niet* wordt goedgemaakt door vruchtbaarheidstechnieken. De volgende cijfers kwamen naar voren:

Kans op zwangerschap naar leeftijd van de vrouw			
Leeftijd van de vrouw	30-34 jaar	35-39 jaar	› 40 jaar
Spontaan binnen een jaar	75%	66%	44%
Dankzij IVF of andere voortplantingstechnieken	30%	24%	17%

In het algemeen luidt het advies: geef jezelf een jaar de tijd om spontaan zwanger te worden nadat je gestopt bent met voorbehoedsmiddelen. Hoe jonger je bent, hoe eerder je zwanger zult raken; hoe langer dat duurt, hoe meer kans dat er iets mis is.
Hoe ouder je bent, hoe meer tijd je jezelf zou moeten geven om vanzelf zwanger te worden. Maar zoals reeds gezegd is dit natuurlijk niet zo simpel, want met dat wachten worden je kansen kleiner en kan die tijd ook opraken.

De man

Bij mannen speelt leeftijd een veel kleinere rol als het gaat om vruchtbaarheid. Het is bekend dat mannen tot op hoge leeftijd kinderen kunnen verwekken. Zaadcellen worden immers steeds opnieuw
aangemaakt (al lijkt de kwaliteit van het sperma op vergevorderde leeftijd toch minder te worden). En als een man nog steeds seksueel actief
kan zijn, dan is er van zijn kant met betrekking tot de leeftijd geen probleem te verwachten.

Toch gaat leeftijd als je als man ouder bent dan 35 jaar wel enigszins
een rol spelen, zo is uit recent onderzoek gebleken.

Wat betreft je vruchtbaarheid is het niet zo dat je dan dreigt *onvruchtbaar* te worden. Volledige onvruchtbaarheid bij een man is niet gerela-
teerd aan leeftijd. Maar het kan langer duren voordat je je partner
zwanger hebt gemaakt. Als je vrouw 35 jaar is en jij bent zelf ook 35,
dan heb je 82% kans dat ze binnen een jaar zwanger is. Ben je vijf jaar
ouder (en zij is 35) dan is de kans dat ze zwanger raakt binnen een jaar
gedaald naar 72%.

Over het risico van chromosomale afwijkingen bij een hogere leeftijd van
de vader zijn adviezen moeilijk te geven. Het blijkt wel zo te zijn dat je
meer kans hebt dat het erfelijke materiaal in je zaadcellen slechter van
kwaliteit wordt. Kleine stukjes van chromosomen kunnen af gaan wijken,
spontaan veranderen. Maar er is zo'n grote diversiteit aan zeldzame
afwijkingen die zo kunnen ontstaan (het zijn er honderden), dat het
ondoenlijk is om dit bij onderzoek allemaal boven water te krijgen. Prenatale diagnostiek, te weten chromosoomonderzoek van het ongeboren
kind, is in dit verband dan ook nauwelijks uitvoerbaar. Mogelijk dat
echografisch onderzoek een aanwijzing kan geven voor het bestaan van
een bepaalde afwijking, maar tot op heden is die mogelijkheid nog niet
goed onderzocht.

Een en ander is wel de reden dat spermabanken (die zaad inzamelen
van donoren) allemaal een maximumleeftijd hebben gesteld aan de
zaaddonoren. De vereiste leeftijd van een zaaddonor wil nog wel eens
wisselen, maar ligt meestal tussen de 18 en 45 à 50 jaar.

Gewicht

Een andere belangrijke factor die grote invloed kan hebben op je vruchtbaarheid is je gewicht. Als je extreem onder- of overgewicht hebt kan
dat je eisprong beïnvloeden: je hormoonhuishouding werkt anders,

onvoldoende, waardoor je, ondanks dat je misschien gewoon menstrueert, mogelijk geen eisprong hebt. Ook als er wel een regelmatige
eisprong plaatsvindt, blijkt de kans op zwangerschap duidelijk kleiner
dan bij vrouwen met een normaal gewicht.

Bij mannen speelt voor de vruchtbaarheid overgewicht geen rol van
betekenis, of het zou moeten zijn dat er sprake is van zo'n enorm overgewicht dat gemeenschap hebben een fysieke onmogelijkheid wordt.

Wat is een 'normaal' gewicht? Je kunt dit bepalen met behulp van de QI
(Quetelet-index) ofwel de BMI: *body-
mass-index*. Hierbij moet je je gewicht in
kilo's delen door je lengte in meters in het
kwadraat. Je hebt een normaal gewicht
als je uitkomt op een waarde van tussen
de 20 en 25.

$$BMI = \frac{\text{gewicht in kilogrammen}}{\text{lengte x lengte (in meter)}}$$

Bijvoorbeeld: je bent 1.68m en weegt 65 kilogram: 65 delen door (1,68
x 1,68=) 2,82 = 23. Deze waarde geeft aan dat je gewicht past bij je
lengte. Weeg je daarentegen 80 kg, dan kom je uit op een BMI van 28:
dan heb je overgewicht. Weeg je 90 kg bij dezelfde lengte, dan is je BMI
ruim 31 en is er sprake van extreem overgewicht, ook wel *obesitas*
genoemd.

Overgewicht

Kom je met je BMI boven de 30 uit, dan is het voor je gezondheid echt
aan te raden dat je wat afvalt. Je hebt met overgewicht namelijk duidelijk meer kans op problemen met zwanger worden, en bovendien op te
hoge cholesterolwaarden, hart- en vaatziekten en suikerziekte.

Tegenwoordig neemt men ook wel de *taillemaat* bij mannen en vrouwen
als criterium voor overgewicht. Als je als vrouw meer dan 83 cm (of als
man meer dan 90 cm) meet, dan heb je beduidend meer kans op hart-
en vaatziekten.

Als je inderdaad royaal overgewicht hebt, dan zullen de waarschuwin-
gen en adviezen je bekend in de oren klinken. Ook zul je misschien
doodmoe zijn van de confrontatie met je gewicht. Toch loont het als je je
gewicht wat in toom kunt houden.

Het ontstaan van vetweefsel is het resultaat van energieopslag door je
lichaam. Als je meer energie eet dan dat je verbrandt, zal het overschot
opgeslagen worden in de vorm van vetweefsel. Dit vetweefsel moet je
verbranden door te bewegen.

Eén tip om je wat moed in te spreken: meer beweging houdt niet het
verrichten van kortdurende zware lichamelijke inspanning in. Dan ver-

brand je namelijk vooral de suikers die makkelijk voorhanden zijn in je lichaam. Je verbrandt net zoveel vetten per minuut wanneer je een eind gaat fietsen of zwemmen. Dit kun je langer volhouden, waardoor je in totaal meer van je vetreserve aanspreekt.

Natuurlijk zul je, voor het beste effect, er ook op moeten letten dat je niet alles weer aanvult. Daarvoor hoef je niet per se minder te eten, maar wel anders. Een diëtiste kan je hierbij helpen. Let erop dat je vetarme, vezelrijke voedingsmiddelen eet (vezelrijk is ook belangrijk, omdat dat meer verzadigt).

Neem daarom halfvolle of zelfs magere melkproducten, groenten en fruit, (liefst volkoren) graanproducten. Natuurlijk zijn mager vlees (rookvlees), kip en vis prima, maar liefst gegrild of gestoomd (want bakken in vet doet het effect natuurlijk weer teniet).

Koek, chips en andere snoeperijen, maar ook gefrituurd voedsel en alcohol horen in het rijtje 'niet doen' thuis. Alcohol maakt dik doordat je lichaam dit deels omzet in vetten.

Tegenwoordig bestaat er ook een middel dat in de darmen de opname van vetten remt. Dit middel is alleen op recept van een arts verkrijgbaar.

Gezond eten

De Voedingswijzer van het Voedingscentrum in Den Haag laat in een oogopslag zien welke voedingsmiddelen dagelijks in het eten thuishoren. In het midden is aangegeven dat men veel (dagelijks 1,5 l per dag) moet drinken. Kies verder dagelijks één of meer voedingsmiddelen uit elk van de vier groepen:

1 Brood en aardappelen of rijst, macaroni, peulvruchten.

2 Groente en fruit.

3 Melk(producten), kaas en vlees(waren), gevogelte, vis, ei of tahoe.

4 Margarine, halvarine, bak- en braadproducten, olie.

Kies een manier van bewegen en eten die je lang vol kunt houden. Alle beetjes helpen. Het is makkelijk gezegd, maar probeer jezelf het anders eten en meer bewegen eigen te maken. Maak het tot jouw nieuwe levensstijl. Dat loont uiteindelijk het allermeest.

Als je BMI hoger is dan 27 dan heb je, als je eenmaal zwanger bent, meer kans op complicaties als hoge bloeddruk en suikerziekte tijdens je zwangerschap. Heb je (ernstig) overgewicht, dan heb je meestal erg veel zin in snoep. Zeker als je een flinke snoeper bent moet je je realiseren dat hierdoor, ook als je (nog) geen suikerziekte hebt, je bloedsuiker-waarden in je zwangerschap steeds te hoog kunnen zijn. Dat verhoogt je risico op het krijgen van een kind met aangeboren afwijkingen. Met name de kans dat je kind een neurale-buisdefect (NBD of 'open ruggetje') of hartafwijking heeft is dan duidelijk groter. Bovendien heb je een groter risico op complicaties rond de bevalling. Bij vrou-wen met aanzienlijk overgewicht wordt de zwangerschap driemaal zo vaak beëin-digd door middel van een keizersnede. Complicaties bij de bevalling kunnen ook worden veroorzaakt doordat je kind te groot is geworden.

In de zwangerschap moet je overigens niet afvallen. Wel moet je proberen niet te veel aan te komen: hooguit 6 kg.

> **Mensen met overgewicht weten wat de eeuwige strijd hiertegen betekent. Het is misschien een illusie om te denken dat je ooit een normaal gewicht zult bereiken. Succesverhalen zijn er weinig, frustraties des te meer. Feit blijft dat obesitas een serieus gezondheidsprobleem is. Een klein gewichtsverlies kan al een grote winst betekenen.**

Ondergewicht

Als je BMI onder de 17 uitvalt, dan heb je extreem ondergewicht. Met andere woorden: je moet oppassen dat je niet ondervoed raakt of bent. Als je in korte tijd veel bent afgevallen en er is geen aanwijsbare oor-zaak, dan is het verstandig om je huisarts te raadplegen. Als je onderge-wicht een gevolg is van een bewuste actie van jezelf, dan moet je oppassen voor anorexia.

Bij een extreem laag gewicht heb je kans op een verstoring van de func-tie van je eierstokken: mogelijk dat je geen eisprong hebt en dus niet zwanger kunt worden.

Mocht je inderdaad geen eisprong hebben, dan is dat vrij eenvoudig met medicatie op te lossen. Eenmaal zwanger moet je ervoor zorgen dat je ongeboren kind niets tekortkomt, wat wel makkelijk gebeurt als jij slecht eet. Als je ondanks je ondergewicht toch zwanger wordt, is er een grotere kans op een vroeggeboorte en bestaat er een groter risico dat je kind een te laag geboortegewicht heeft, waardoor dit kind meer risico's heeft op latere handicaps.

Je kunt ook op een andere manier voedingsstoffen tekortkomen. Zo kan topsport je lichaam zo opslorpen dat het je menstruatiecyclus kan verstoren: je menstruatie kan zelfs helemaal wegblijven.

Ook bij mannen past het lichaam zich aan deze extremen aan: hun hormonale huishouding verandert enigszins. Dit kan zich uiten in bijvoorbeeld een slechtere zaadkwaliteit.

Roken

Ook weer aandacht voor het roken.
Het is moeilijk om te onderzoeken wat precies de effecten van roken zijn. Rookgewoontes gaan vaak samen met andere leefgewoontes als alcoholgebruik, koffiegebruik en andere minder gezonde consumptiegewoontes. Toch kun je stellen dat roken effect heeft op je vruchtbaarheid.

De invloed van roken bij de man

Bij jou als man kan roken invloed hebben op de kwaliteit van je zaadcellen. Ook zijn de hormoonwaarden in je bloed wat veranderd vergeleken bij mannen die niet roken. Of het een direct effect heeft op je vruchtbaarheid is (nog) moeilijk te bewijzen.

Hoe lang je gestopt moet zijn met roken om het negatieve effect ongedaan te hebben gemaakt, is moeilijk te zeggen. Vanaf het allereerste begin van een zaadcel, inclusief deling van het erfelijke materiaal, moet je circa drie maanden rekenen. Dit is de tijd die ligt tussen de aanleg van een cel die zaadcel gaat worden en de zaadlozing. Dus mocht je zaad niet optimaal van kwaliteit zijn en je zou om die reden besluiten om te stoppen met roken, dan zou je daar na ongeveer drie maanden resultaat van mogen verwachten.

Als je vrouwelijke partner ook rookt, is stoppen met roken in elk geval al de moeite waard: al is het alleen maar om haar tot steun te zijn en te motiveren om ook te stoppen.

De invloed van roken bij de vrouw

Bij vrouwen heeft (mee)roken een duidelijker aantoonbaar effect. De kans op zwangerschap bij vrouwen die roken is duidelijk kleiner dan bij niet-rokende vrouwen. Je vruchtbaarheid vermindert doordat roken oestrogenen tegenwerkt en daardoor je eierstokken minder goed werken. Ook is waargenomen dat je eileiders minder goed werken als transportmiddel (om het eitje tijdig naar de baarmoeder te vervoeren). Bovendien blijkt dat je eerder in de overgang raakt, maar ook dat je eicelvoorraad versneld vermindert. Een en ander heeft beslist ook te maken met een slechtere doorbloeding van je weefsels door vaatafwijkingen en vaatvernauwing, hetgeen een gevolg is van roken.

De negatieve effecten van roken worden groter naarmate je meer rookt. Wil je de schade die je door roken hebt opgedaan helemaal tenietdoen, dan moet je minstens 5 jaar gestopt zijn met roken.

> **Vroegtijdige veroudering van je eierstokken wordt gezien als een van de belangrijkste factoren bij onbegrepen vruchtbaarheidsproblematiek.**

Sta er ook bij stil welke schadelijke effecten jouw rookgewoonte kan hebben als je zwanger bent van een meisje: er is een mogelijkheid dat ook de eierstokken van het ongeboren meisje (negatief) beïnvloed worden door roken.

Sowieso verhoogt roken bepaalde risico's in je zwangerschap. Hoe meer je rookt, hoe lager het geboortegewicht van je baby zal zijn. De moederkoek wordt minder goed doorbloed, met meer kans op complicaties zoals vroeggeboorte, een te licht kind en placentaloslating in de zwangerschap. Vroeger in je zwangerschap heb je een verhoogde kans op een miskraam.

Na de zwangerschap heb je een groter risico dat je baby overlijdt door wiegendood. Ook heeft je kind meer kans op luchtweginfecties en astma als je in zijn of haar bijzijn rookt.

Alcohol, koffie en thee

Alcohol en koffie (en thee!) zijn genotmiddelen waar je erg terughoudend mee moet zijn. Alle drie hebben ze een negatief effect op je vruchtbaarheid. Ook verhogen ze je kans op een miskraam.

In koffie en thee zit *cafeïne*. Ook in sommige frisdranken zit cafeïne. Het wordt aanbevolen om minder dan 250 mg cafeïne per dag binnen te krijgen. Als indicatie: in één kopje koffie zit circa 80 mg cafeïne, in thee circa 30 mg. Drink je als vrouw meer, dan heeft dat een negatief effect op je vruchtbaarheid. Bij mannen is dit niet aangetoond.

Hoe het mechanisme werkt is niet helemaal zeker. Er wordt gespeculeerd dat cafeïne je lichaam stimuleert om meer cortisol te maken: dat is een 'stress'-hormoon. Dit cortisol verstoort de werking van het hormoon progesteron. Omdat dit een van de essentiële hormonen van je cyclus is, is dat ongunstig. Er wordt ook wel gezegd dat het de werking van weer andere hormonen, namelijk je oestrogenen, verstoort.

Als je meer dan 500 mg cafeïne per dag binnenkrijgt verdubbelt dat je kans op een miskraam.

In ieder geval is het, als je in ogenschouw neemt hoeveel koffie er over het algemeen wordt gedronken, wel duidelijk dat dit negatieve effect van cafeïne op je vruchtbaarheid beslist aandacht verdient.

Bekender is het effect van alcohol. Als je maar enkele glazen per week (denk aan je dagelijkse wijntje aan het einde van de dag) drinkt, dan kun je al een negatief effect merken. Stop je met het drinken van alcoholische dranken, dan zul je al gauw zien dat je beter slaapt en je je beter kunt concentreren.

Bij *mannen* verstoort alcohol de productie van het mannelijk hormoon vanuit de zaadballen, en ook de aanmaak van nieuwe zaadcellen (spermatogenese). Bovendien kan het het seksuele leven van de man verstoren: een bekend effect bij overmatig alcoholgebruik is impotentie. Zeker bij alcoholisten kun je langdurige effecten waarnemen: tot en met vervrouwelijking van het lichaam (borstgroei).

Bij ruim driekwart van de echte alcoholverslaafden wordt bedroevend slecht zaad gevonden: zo slecht dat je ze wel steriel kunt noemen.

Gelukkig is dit effect omkeerbaar: als je eenmaal weer een gezondere leefwijze hebt weten te ontwikkelen, is dat in ieder geval het probleem niet meer. Geef jezelf wel even de tijd om te herstellen: enig herstel van je spermakwaliteit na het stoppen met alcohol kun je pas na minimaal een maand of 3 verwachten.

Als je als *vrouw* alcoholische dranken gebruikt, dan kan dat de functie van je eierstokken verstoren waardoor een eisprong kan uitblijven. Bovendien kan alcohol ervoor zorgen dat je zelfs niet meer menstrueert. Een precieze grens waaronder je 'veilig' alcohol kunt gebrui-

> **Resultaten van onderzoek naar het effect van roken en alcohol kun je niet helemaal als opzichzelfstaand zien. Als je een ongezonde levensstijl hebt met veel roken en drinken, is het heel goed voor te stellen dat je je lichaam ook op het gebied van gezonde voeding eerder verwaarloost.**

ken is niet aan te geven. Vandaar dat je het maar beter helemaal kunt laten.

Eenmaal zwanger schaadt alcoholgebruik de ongeboren baby: van groeivertraging tot aangeboren lichamelijke en geestelijke afwijkingen (*foetaal alcoholsyndroom*) aan toe. Bovendien heb je meer kans dat je zwangerschap eindigt in een miskraam.

Als korte, samenvattende aanwijzing het volgende.

Bij een recent onderzoek in Engeland zijn de gemeten negatieve effecten op je vruchtbaarheid al duidelijk aantoonbaar als er sprake is van het volgende:

– roken man/vrouw	meer dan 15 sigaretten per dag
– alcohol man	meer dan 20 eenheden per week
– BMI vrouw	meer dan 25
– koffie/thee (man/vrouw)	meer dan 6 kopjes per dag

Als bij jullie sprake is van alle vier de beperkende factoren, dan kan het jullie 7 keer zoveel tijd kosten om zwanger te worden. Jullie kans op een zwangerschap is 60% lager in vergelijking met paren zonder één van deze factoren.

Drugs

Cannabis

Cannabis, (neder)wiet, hasj: het komt allemaal van de hennepplant (cannabis sativa). Omdat het in ons land oogluikend wordt toegestaan bestaat het idee dat het met de schadelijkheid wel meevalt. Hetzelfde geldt misschien ook voor roken en alcohol, terwijl zo langzamerhand toch de schadelijke effecten hiervan wel duidelijk zijn.

In april 2004 was er opeens enige onrust in de Nederlandse koffieshops: de werkzame stof in cannabis, het *delta-9 tetrahydrocannabinol* (*THC*), zou door doorkweken zo veel sterker zijn geworden dat er van regeringswege stemmen opgaan om strenger toe te zien op het verbod op het gebruik van deze softdrug.

THC verstoort je concentratievermogen. Langdurig gebruik kan je afstompen. Bovendien kun je er dan psychisch echt afhankelijk van worden: wil je ermee stoppen dan krijg je afkickverschijnselen (waaronder angstaanvallen en depressies). Bovendien zijn er aanwijzingen dat je een verhoogd risico hebt op (keel)kanker.

Recent is ontdekt dat bij mannen deze stof het aantal en de beweeglijkheid van de zaadcellen vermindert. Bovendien lukt het deze zaadcellen ook slechter om de eicel binnen te dringen en zo de eicel te bevruchten. Ook heeft THC invloed op de hoeveelheid mannelijk hormoon (testosteron) die je aanmaakt: dit kan ertoe leiden dat je zin in vrijen (libido) vermindert, maar ook dat je mogelijk impotent wordt en je lichaam vervrouwelijkt.

Deze gegevens komen uit een Brits onderzoek dat in april 2004 wereldkundig werd gemaakt. Het onderzoek was opgestart omdat opviel dat bij mannen die problemen hadden met slecht zaad er zo veel cannabisgebruikers waren.

Bij vrouwen kan langdurig marihuanagebruik leiden tot kortere menstruatiecycli en een verhoging van het hormoon prolactine in het lichaam. Dit kan ervoor zorgen dat je eisprong uitblijft en ook resulteren in melkaanmaak door je borsten.

Als je THC gebruikt als je zwanger bent, passeert het de placenta. Daardoor heb je meer kans op een baby met een te laag geboortegewicht. Om volledig te zijn: THC hoopt zich op in de moedermelk. Als je borstvoeding geeft krijgt je baby dit binnen en reageert daardoor anders dan andere baby's.

XTC, heroïne en cocaïne

XTC is een zogenaamde partydrug die door jonge mensen meer en meer op met name grote housefeesten gebruikt wordt. Er is (nog) nauwelijks onderzoek naar gedaan met betrekking tot het effect op je vruchtbaarheid. Maar onschuldig is XTC zeker niet: er is reeds vastgesteld dat het bij langdurig gebruik je hersenen kan beschadigen.

Zo is er ook nog niet al te veel onderzoek gedaan naar het effect van drugs als cocaïne en heroïne. Uit de onderzoeken die gedaan zijn bij mannen komt wel naar voren dat beide drugs invloed hebben op je zaadkwaliteit.

Bij heroïnegebruik wordt je zaadkwaliteit negatief beïnvloed doordat je meer van het hormoon prolactine maakt. Een verhoogde prolactineproductie heeft overigens ook bij vrouwen een slechte invloed op de vruchtbaarheid: de eisprong kan uitblijven.

Ook het heroïnevervangende en minder schadelijke methadon verslechtert je zaad.

Uit onderzoek naar cocaïnegebruik bleek dat als je korter dan twee jaar geleden cocaïne hebt gebruikt, er minder zaadcellen in je zaadlozing zullen zitten. Als je langer dan vijf jaar cocaïne hebt gebruikt is ook de beweeglijkheid van je zaadcellen minder en zijn ze ook vaker afwijkend van vorm. Niet gunstig voor je vruchtbaarheid dus.

Medicijngebruik en ziekte

Als je medicijnen gebruikt, sta hier dan bewust bij stil. Stel je ervan op de hoogte wat de bijwerkingen/effecten zijn van de medicijnen, maar ook van je onderliggende ziekte.

Slik je bijvoorbeeld schildklierhormonen, dan is het goed om te weten dat een bijwerking van een niet goed werkende schildklier kan zijn dat je geen eisprong hebt. Gebruik je kalmerende middelen, dan kun je je afvragen of je een zwangerschap aankunt: of dit wel een goed moment voor je is om zwanger te worden.

Veel medicijnen hebben geen (blijvend) effect op je vruchtbaarheid. Als ze hier al effect op hebben, dan komt dat vaak weer goed nadat je kortere of langere tijd bent gestopt met deze medicijnen. Sommige medicijnen kunnen een andere vervelende bijwerking hebben. Bepaalde bloeddrukverlagers (*antihypertensiva*) bijvoorbeeld kunnen bij de man invloed hebben op zijn potentie.

Een aparte categorie vormt de behandeling met chemotherapie en/of cytostatica. Deze therapie is verwoestend voor zowel eicellen als zaadcellen. Als je als man chemotherapie moet ondergaan, dan is het goed om te weten dat zaadcellen ingevroren kunnen worden zodat voor jullie de keuze opengehouden wordt of je later aan een zwangerschap zou willen beginnen. Eicellen kunnen veel moeilijker worden ingevroren. Embryo's daarentegen kunnen wel op deze manier kunnen bewaard. Dat gebeurt echter alleen als er overtollige embryo's zijn na reageerbuisbevruchting.

Verder moet je voorzichtig en alert zijn met ioniserende straling (röntgen), maar ook als je werkt met giftige stoffen als landbouwgif. Er wordt doorlopend onderzoek gedaan naar de schade die stoffen kunnen aanrichten.

Zoals gezegd, is het zeker zo belangrijk om te bekijken welke invloed een onderliggende ziekte kan hebben op je vruchtbaarheid. Het voert te ver om in dit boek in te gaan op alle aandoeningen die van invloed kunnen zijn op vruchtbaarheid en zwangerschap. Hieronder volgt daarom alleen een beschrijving van de effecten van twee veelvoorkomende ziekten.

Diabetes

Bij suikerziekte is je suikerstofwisseling ontregeld. Dat kan gebeuren als je alvleesklier geen of te weinig van het suikerregulerend hormoon insuline kan aanmaken (*diabetes mellitus type I*) of omdat je lichaam ongevoeliger is geworden voor insuline (*diabetes mellitus type 2*). Je hebt hierdoor regelmatig te hoge suikerwaarden (glucose) in je bloed.

In het kader van een kinderwens is dit bij vrouwen ongunstig: het kan de ontwikkeling van de eicellen verstoren. Bij het PCO-syndroom (zie bladzijde 101) heeft men recentelijk ontdekt dat door het reguleren van je suikers met behulp van het medicijn metformine dit probleem voor een bepaalde groep vrouwen opgelost kan worden.

Als je diabetes hebt, heb je een grotere kans op een te klein of juist te groot kind, een te vroeg of doodgeboren kind en complicaties tijdens de bevalling. Met name als je suikerspiegel (veel) te hoog is rond de bevruchting en de eerste drie maanden hierna, heb je een grotere kans dat je een miskraam krijgt of een kind met aangeboren afwijkingen. Daarom is het erg belangrijk dat je diabetes goed gereguleerd is: je suikerspiegel moet zo goed mogelijk in de hand gehouden worden. Lukt dat, dan breng je het verhoogde risico dat je hebt een stuk omlaag.

Epilepsie

Bij epilepsie is er een 'ontlading', een gestoorde overdracht van elektrische impulsjes (nodig voor het aansturen van zenuwen) in de hersenen, die niet in de hand te houden is. Het geeft een effect van heel korte periodes van afwezig zijn (absences) tot forse aanvallen waarbij je hele lichaam meedoet met flinke spiersamentrekkingen. Als je tijdelijk je bewustzijn bent verloren kun je je soms doodmoe voelen als je weer bijkomt. Afgezien van de mogelijkheid dat je jezelf verwondt tijdens een aanval richt epilepsie geen schade aan. Deze aandoening komt veel voor: 1 op de 150 mensen heeft het in ernstige of minder ernstige vorm.

Epilepsie is goed te onderdrukken met medicijnen. Als je als vrouw aan deze ziekte lijdt, heb je echter het probleem dat je hormooncyclus van invloed kan zijn op de behoefte

> **Als je zwanger wilt worden is het goed om je een gezonde levenswijze eigen te maken: matig het roken en alcoholgebruik, of nog beter: stop ermee. Eet gezond en zorg elke dag voor voldoende lichaamsbeweging. Als je medicijnen gebruikt: pas ze, als dat nodig en mogelijk is, aan in overleg met je arts. Dit alles zal je vruchtbaarheid ten goede komen en ook je kansen op een gezonde zwangerschap en een gezond kind verhogen.**

aan epilepsiemedicatie (en omgekeerd). Daardoor kan bepaalde epilep-siemedicatie een PCO-verwant syndroom veroorzaken en zo je vrucht-baarheid verstoren: in je eierstokken ontwikkelen zich veel eiblaasjes, maar niet één rijpt goed uit tot een eisprong. Ook heb je kans, als gevolg van de hormonale veranderingen in je lichaam, dat je in je zwan-gerschap meer aanvallen zult krijgen.

Het is heel belangrijk om te weten dat de epilepsiemedicijnen schadelijk kunnen zijn voor je ongeboren kind: je hebt een grotere kans op aange-boren afwijkingen. Bovendien is er een (twee- tot driemaal) grotere kans dat je kind nog in de zwangerschap of kort erna overlijdt als gevolg van bloedingen door een tekort aan vitamine K of als gevolg van een niet met het leven verenigbare aangeboren afwijking.

Daarom moet je, als je kinderen wilt krijgen, van tevoren overleggen met je neuroloog om te zien of je heel misschien kunt stoppen met je medi-cijnen of dat je je medicijnen moet aanpassen. Dat aanpassen kan gebeuren door bijvoorbeeld de dosis te verminderen of van meerdere medicijnen over te stappen op één enkel medicament.

Bij mannen is er geen invloed waargenomen van epilepsie(medicatie) op hun vruchtbaarheid of een verhoogde kans op aangeboren afwijkingen bij hun nakomelingen.

Om verder bij stil te staan als je zwanger wilt worden

Het gebruik van vitaminesupplementen

Niet alle vitamines zijn onschadelijk: bepaalde vitamines (waaronder vitamine A) doen meer kwaad dan goed als je er te veel van binnenkrijgt. Bij een gezond en gevarieerd eetpatroon krijg je voldoende vitamines binnen en heb je geen extra vitaminesupplementen nodig. Maar er is een uitzondering op deze regel: als je zwanger wilt worden, doe je er goed aan tijdig te starten met het innemen van extra vitamine B11 ofwel foliumzuur.

Foliumzuur

Folium betekent blad. Foliumzuur zit dan ook voornamelijk in bladgroenten, maar ook in onder andere vlees en volkorenproducten. Deze vitamine is belangrijk voor het aanmaken van rode bloedlichaampjes. Een tekort kan, net als een tekort aan ijzer, bloedarmoede veroorzaken. Foliumzuur speelt ook een belangrijke rol in de ontwikkeling van de *neurale buis* bij het embryo. De neurale buis is de structuur waaruit de hersenen en het ruggenmerg ontstaan. Als deze niet goed sluit, ontstaat door dit sluitingsdefect een zogenaamd 'open ruggetje' (*spina bifida*) of 'open schedel' (*anencephalie*).

De gezondheidsraad adviseert daarom om dagelijks 0,4 mg te slikken, waarmee je moet starten voor je zwanger bent, tot in de 10e week van je zwangerschap om een neurale-buisdefect (NBD) te helpen voorkomen. Extra foliumzuur kan ook een hazenlip bij je kind helpen voorkomen.

> **Pas op met het gebruik van vitaminepreparaten: 'baat het niet, dan schaadt het niet' geldt beslist niet voor alle vitamines. Als je ze al gebruikt, neem dan preparaten speciaal bedoeld voor zwangeren en niet meer dan de aangegeven doses.**

Als je een verhoogd risico hebt op een kind met NBD dan heb je meer nodig: in dat geval wordt 4 mg per dag geadviseerd. Een verhoogd risico heb je als je eerder een kind hebt gehad met NBD, of als dit bij jullie zelf of in de familie voorkomt. Ook als je suikerziekte hebt of bepaalde medicijnen gebruikt, bijvoorbeeld bij epilepsie, bestaat er een verhoogde kans op NBD.

Toxoplasmose en listeriose

Dit zijn ziektes die, als je ze vroeg in je zwangerschap oploopt, afwijkingen kunnen veroorzaken bij je ongeboren kind. Omdat een zwangerschap pas duidelijk wordt nadat die op zijn minst al een paar weken een feit is, maar vooral ook omdat je meestal pas informatie over dit soort zaken krijgt als je na 2 à 3 maanden zwangerschap bij een verloskundige, huisarts of gynaecoloog komt die je voorlichting hierover kan geven, nu alvast even aandacht voor deze ziektes.

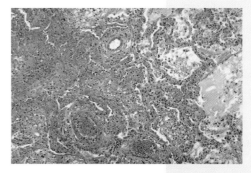

toxoplasmose

Toxoplasmose

De infectieziekte toxoplasmose kun je heel verraderlijk ongemerkt oplopen. Je wordt niet echt ziek van toxoplasmose: je hoeft het dus niet eens te merken als je geïnfecteerd bent. Van de zwangeren is bijna de helft (45%) kwetsbaar; deze vrouwen zijn nooit geïnfecteerd met deze parasiet en ze hebben dan ook geen anti-

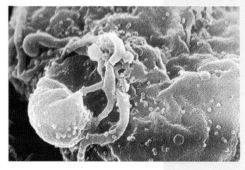

HIV

stoffen ontwikkeld tegen toxoplasmose. Zodoende zijn ze niet beschermd.

Tijdens je zwangerschap kan toxoplasmose ernstige aandoeningen bij je ongeboren kind veroorzaken, bijvoorbeeld schade aan het zenuwstelsel en aan de ogen.

Je kunt deze parasiet (*toxoplasma gondii*) oplopen via uitwerpselen van (jonge) katten. Ook komt hij voor in rund-, varkens- en schapenvlees en op groente. Als je eten klaarmaakt, was dan je groente goed en eet geen rauw of halfgaar vlees (verhitting doodt de parasiet). Leg gebakken vlees niet terug op de plank waarop je eerder rauw vlees had liggen. Zorg voor een goede hygiëne door regelmatig je handen te wassen. Draag handschoenen als je in de tuin werkt. Beter nog: laat je partner de kattenbak verschonen en de tuin doen.

Listeriose

Als je listeriose oploopt, kan het zijn dat je je alleen maar een beetje grieperig voelt. Listeriose is een voedselvergiftiging die veroorzaakt wordt door de listeriabacterie en schadelijk is voor het ongeboren kind. Het kan zorgen voor een vroeggeboorte. Bovendien kan je kind er ernstig ziek van worden – een enkele keer overlijdt een baby nog voor de geboorte aan deze ziekte. De listeriabacterie komt voor in rauwe voedingsmiddelen. Verhitten (koken, pasteuriseren) doodt de bacterie. Daarom kun je beter geen kaas eten die bereid is uit verse, ongepasteuriseerde melk, ook wel rauwmelkse kaas genoemd. Bij Franse kaas staat dit duidelijk op de verpakking aangegeven als *'au lait cru'*.

Wees ook erg voorzichtig met rauwe vis/vlees/kip, rauwkost en kant-en-klare salades uit het koelvak. Zorg dat de koelkast koud genoeg is afgesteld (4–5° Celsius) en maak deze regelmatig goed schoon. Zet restjes eten in een gesloten bakje in de koelkast en bewaar ze niet te lang.

Aids (HIV)

HIV (*human immunodeficiency virus*) is het virus dat de ziekte aids veroorzaakt. Aids is dodelijk. Je kind kan tijdens de geboorte met HIV worden besmet.

Als je denkt dat er een kans bestaat dat je draagster bent van dit virus, dan is het verstandig om je hierop te laten testen. Je hebt meer kans om draagster te zijn als jij of je partner in een risicogroep valt.

Risicogroepen zijn: mensen met wisselende seksuele contacten, mensen die een bloedtransfusie hebben gehad vóór 1985 (het jaar waarin men begon met het donorbloed te testen op HIV), gebruikers van intraveneuze drugs en mensen met seksuele contacten in homoseksuele kringen. Ook personen die langdurig in Afrikaanse landen verbleven (inwoners, maar ook bijvoorbeeld ontwikkelingswerkers) vallen in de risicogroep.

Als je HIV-positief bent zul je, in verband met het risico om je partner te besmetten, niet voor alle vruchtbaarheidsbehandelingen in aanmerking kunnen komen ook al zou dit gewenst zijn.

Tegenwoordig zijn er behoorlijk wat ontwikkelingen in het onderzoek naar aids. De aidsremmers worden steeds effectiever. Er zijn zelfs al personen ontdekt die immuun zijn voor het aidsvirus. Dat geeft hoop op het vinden van een goed medicijn tegen aids.

> **Nog geen tien jaar geleden kreeg je het advies om de zwangerschap te laten afbreken als je HIV-positief was. Nu zijn er meer mogelijkheden om jou en je kind te beschermen.**

Goed gebruik van aidsremmers kan de kans dat de baby besmet wordt flink terugdringen: van 30–40% tot 2%.

Rodehond

Tegenwoordig is vrijwel elke jonge vrouw ingeënt tegen rodehond (*rubella*). Dat wordt gedaan bij alle baby's met het geven van de BMR-vaccinatie (Bof-Mazelen-Rubella) op de leeftijd van 11 maanden en dit wordt herhaald op de leeftijd van 9 jaar.

Als je rodehond krijgt vroeg in je zwangerschap kan dit ernstige afwijkingen veroorzaken bij het (ongeboren) kind: doofheid, oogafwijkingen, hartafwijkingen en/of geestelijke achterstand.

Een enkele keer kan het zijn dat je niet beschermd bent tegen rodehond. Dat kan gebeuren als je onvoldoende antistoffen hebt gevormd tegen deze ziekte ondanks dat je beide injecties hebt gehad (al komt dit zelden voor). Het kan ook zijn dat je bijvoorbeeld door verblijf in het buitenland geen inenting hebt gehad.

Twijfel je of je de inentingen wel hebt gehad, dan is het zeker aan te raden om, voor je zwanger bent, via je huisarts te laten bepalen of je voldoende antistoffen hebt tegen rodehond. Zo niet, dan kun je alsnog ingeënt worden. Wel is het dan zaak om ervoor te zorgen dat je de eerste drie maanden volgend op de inenting niet zwanger wordt: ook de inenting tegen rodehond kan het ongeboren kind schaden.

Erfelijke afwijkingen

Als je zwanger wilt worden is het heel belangrijk om na te gaan of er ernstige erfelijke ziektes c.q. afwijkingen een rol spelen in jouw familie of die van je partner.

Niet alle erfelijke afwijkingen zijn even zwaarwegend; er zijn er die geen belemmering vormen voor een goede kwaliteit van leven, en sommige zijn zelfs zeer goed te verhelpen.

Er zijn echter ook erfelijke aandoeningen van een veel zwaarder kaliber. Sommige daarvan zou je, als een dergelijke afwijking in jouw of je partners familie zou voorkomen, als zo ernstig kunnen beschouwen dat je gezien dat risico overweegt om af te zien van het krijgen van genetisch eigen kinderen.

Er zijn afwijkingen die bij weinig mensen discussie oproepen wat te doen, maar er zijn er ook waarbij verschillende mensen verschillende afwegingen maken. Het is een lastig onderwerp.

Screening en het geven van goede voorlichting heeft zoveel haken en ogen dat het geven van preconceptioneel en prenataal advies (bijna) een vak apart is.

Taaislijmziekte

Een voorbeeld van onderzoek naar een erfelijke afwijking is dat naar dragerschap van de erfelijke taaislijmziekte (*cystische fibrose*, CF). Bij taaislijmziekte is er iets mis met de water- en zouthuishouding van cellen. Daardoor is je slijm erg taai, wat er de oorzaak van is dat je vaak een longontsteking oploopt en problemen hebt met de vertering van je voedsel. Je hebt een grote kans dat je suikerziekte ontwikkelt en als je als man deze ziekte hebt, ontbreken je zaadleiders waardoor je onvruchtbaar bent.

In Nederland heeft 1 op de 3600 kinderen CF en het is daarmee een van de meest voorkomende erfelijke ziekten. De gemiddelde levensverwachting is tegenwoordig circa 30 jaar. Door intensieve medische zorg is de kwaliteit van het leven van CF-patiënten tegenwoordig een stuk verbeterd.

Je hebt deze ziekte als je van allebei je ouders het afwijkende gen dat deze ziekte veroorzaakt hebt gekregen: je ouders zijn dan beide drager van CF, maar ze zijn zelf niet ziek. En zo kun je zelf ook drager zijn zonder dat je het weet. Als je partner geen dra(a)g(st)er is, dan is er niets aan de hand. Blijken jullie beiden drager te zijn, dan kun je er bij voorbaat al van afzien om een genetisch eigen kind te krijgen. Je kunt bijvoorbeeld besluiten om een kind te krijgen met behulp van donorzaad, of eventueel zelfs een donoreicel.

Ziekte van Duchenne

Een ander voorbeeld is de ziekte van Duchenne, een geslachtsgebonden erfelijke spierziekte. Geslachtsgebonden betekent dat het afwijkende gen op het X-chromosoom zit. Bij vrouwen staat daar vrijwel altijd een gezonde X tegenover, bij mannen niet omdat zij als tweede geslachtschromosoom het Y-chromosoom hebben. Daarom zijn de kinderen die deze ziekte daadwerkelijk hebben altijd jongetjes.

De afwijking aan het zogenaamde dystrofinegen veroorzaakt de (gedeeltelijke) afwezigheid van het eiwit dystrofine in de spiercelwand. Het tast steeds meer spieren aan: in de loop der jaren word je steeds zwakker. De jongens komen al gauw, vanaf een jaar of 10, in een rolstoel terecht. Ook de hartspier wordt op een gegeven moment aangetast. De levensverwachting van deze kinderen is circa 26 jaar.

Het komt (wereldwijd) voor bij 1 op de 3500 jongens. Het blijkt dat de afwijking aan het betrokken gen bij eenderde van de kinderen spontaan is ontstaan (en dus niet eerder in de familie voorkomt).

En zo is er heel veel onderzoek (en in de toekomst nog meer) mogelijk naar allerlei afwijkingen. Het is welhaast onmogelijk om op alle mogelijke afwijkingen te testen. Als je er om welke reden dan ook niet gerust op bent, is het raadzaam om beider families onder de loep te nemen. Vraag na of er iets bekend is over erfelijke afwijkingen in de familie, of er doodgeboren kinderen zijn (en wat de mogelijke oorzaken daarvan zijn) en of er andere vragen c.q. twijfels op dit gebied zijn.

Bij onduidelijkheid, maar ook ter documentatie, is soms veel speurwerk nodig in samenwerking met je huisarts of gynaecoloog. Bij ingewikkelde

In het kort de punten die aandacht verdienen als je zwanger wilt worden:

- Hoe verder je boven de dertig komt, hoe langer het kan duren voordat je zwanger wordt.
- Let op je gewicht: streef als vrouw naar een BMI van 20–25.
- Start bijtijds met het innemen van dagelijks 0,4 mg foliumzuur ter voorkoming van bijvoorbeeld een 'open ruggetje' bij je kind.
- Voorkom dat je infecties oploopt die in de zwangerschap een bedreiging kunnen zijn voor het ongeboren kind (zoals rodehond), en werk aan het beperken van de schade als je eenmaal een infectie hebt opgelopen (zoals HIV).
- Zijn de medicijnen die je gebruikt onschadelijk? Pas ze eventueel aan in overleg met je arts. Voorkom contact met andere schadelijke stoffen (inclusief roken!)
- Zijn er zaken in je medische voorgeschiedenis die aandacht vragen (bijvoorbeeld suikerziekte en/of hoge bloeddruk, maar ook voorgaande gecompliceerde zwangerschap en/of bevalling)?
- Hoe zit het met erfelijke aandoeningen: speelt er iets in de wederzijdse familie (denk hierbij ook aan hazenlip, klompvoetjes, zwakzinnigheid, doodgeboren kinderen, herhaalde miskramen)?

gevallen zal vaak worden overlegd met een *klinisch geneticus* (een specialist op het gebied van de erfelijkheid).

Overwegingen rondom genetisch onderzoek

Het is verstandig om vooral weloverwogen het genetisch onderzoek al
dan niet te laten doen. Er zitten vanzelfsprekend voors en tegens aan.
Zo kan een vervelende bijkomstigheid van onderzoek naar eventueel
dragerschap zijn dat je je, als je drager blijkt te zijn van een bepaalde
ziekte, ongezonder gaat voelen. Dat is dan puur psychisch, maar het
kan bijzonder belastend voor je zijn. Je bent minder gerust op je eigen
gezondheid. Ook kun je een gevoel van minderwaardigheid krijgen
omdat je weet dat er ergens iets niet helemaal goed is aan je. Nu moet
dat wel duidelijk gerelativeerd worden: iedereen is drager van verschillende gendefecten,
een klein foutje in de
chromosomen, al heeft
niet elk defect in
dezelfde mate effect.
Van de meeste gende-
fecten merk je niets.
Nog een keerzijde van
de mogelijkheid van
het laten doen van
genetisch onderzoek is
dat als je er bewust

> **Hoeveel mogelijkheden er ook zijn
> om onderzoek naar allerlei
> afwijkingen te doen, het mag nooit
> zo zijn dat degenen die ervoor
> kiezen dat niet te laten doen
> daarvoor veroordeeld worden.
> Iedereen heeft het recht om 'niet
> te willen weten'.**

voor kiest het niet te laten doen, anderen je kunnen beschouwen als
onverantwoorde ouders. Krijg je dan inderdaad een kind met een
bepaalde afwijking, dan wordt dat je misschien door anderen aangere-
kend.
Als laatste punt ter overweging is het feit dat niet altijd even makkelijk
het ziektebeeld in een paar woorden te vatten is. Zo kan er verschil in
opvatting zijn tussen wat een medicus ervan vindt en verschillende erva-
ringsdeskundigen (patiënten zelf, ouders van patiëntjes), die elkaar overigens ook weer kunnen tegenspreken.

Bente, 10 jaar

4

Zwanger worden

Stoppen met voorbehoedsmiddelen

De pil

In de meest gebruikte anticonceptiepil zit een combinatie van twee hormonen: oestrogeen en progesteron. De *pil in tabletvorm* moet je telkens 3 weken achtereen dagelijks innemen. In de daaropvolgende week volgt een 'slikpauze' en krijg je je menstruatie (die dan geen echte menstruatie is, maar een zogeheten onttrekkingsbloeding). Je kunt ook zonder stopweek met een nieuwe pilstrip beginnen, dat is niet erg. Het kan zijn dat je dan na enkele maanden toch plotseling wat bloedverlies krijgt. Je kunt dan een paar dagen stoppen en weer opnieuw een paar maanden achter elkaar de pil slikken.

pilstrip

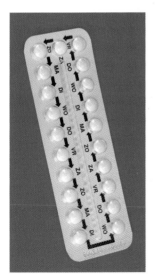

Het oestrogeen zorgt ervoor dat het eitje niet tot rijping komt. Het progesteron zorgt ervoor dat het slijm dat in de baarmoedermond zit ondoordringbaar wordt voor zaadjes. Ook het baarmoederslijmvlies wordt minder goed opgebouwd, waardoor een eventueel bevruchte eicel zich slecht kan innestelen en slecht gevoed zal worden. Dat is er de oorzaak van dat je bij pilgebruik minder bloedverlies hebt als je menstrueert.

Misschien gebruik je de *anticonceptiering*. Eigenlijk moet je die zien als een vaginale pil: hij is gebaseerd op hetzelfde principe en bevat dezelfde hormonen met hetzelfde effect. Deze ring moet vaginaal worden ingebracht en blijft daar 3 weken zitten. Vervolgens moet je hem verwijderen, waarna je een onttrekkingsbloeding krijgt. Na een week breng je weer een nieuwe ring in.

Ook de *pleisterpil* werkt volgens dit principe: 3 weken achtereen dragen (wekelijks wisselen) en één week stoppen.

Als je stopt met de pil, kan het even duren tot je normale cyclus zich heeft hersteld, maar dat hoeft zeker niet. Vaak heb je meteen 2 weken later een eisprong, waardoor je weer 2 weken later zou kunnen menstrueren; soms kan dat wat langer duren. Een onregelmatige cyclus na het stoppen met de pil wordt, in tegenstelling tot wat vroeger werd gedacht, niet veroorzaakt door de pil zelf. Het is meer dat je vergeten kunt zijn, zeker als het lang geleden is, dat je voor het pilgebruik ook al onregelmatig menstrueerde.

Na het stoppen met de pil hoef je niet eerst een paar keer een normale menstruatie af te wachten. Ook als je tijdens het slikken van de pil zwanger bent geworden is dat medisch gezien niet erg. Er is alleen niet met zekerheid te stellen wanneer je je eisprong hebt gehad. Het bepalen van de zwangerschapsduur kan dan prima gebeuren met behulp van echoscopie.

Prikpil en hormoonstaafje

Zowel de prikpil als het hormoonstaafje is gebaseerd op slechts één hormoon: het progesteron. Dit hormoon voorkomt de eisprong en zorgt dat er niet of nauwelijks baarmoederslijmvlies wordt opgebouwd. Daardoor blijft vaak de menstruatie uit. Dat kun je ervaren als een nadeel. Nog een nadeel is dat je tussendoor onregelmatig bloedverlies kunt hebben. De prikpil moet elke 3 maanden toegediend worden door middel van een injectie: je krijgt dan elke keer een vrij hoge dosis van het hormoon ingespoten. Wanneer je stopt met de prikpil kan het maanden tot wel een halfjaar duren voordat je cyclus zich weer heeft hersteld en je eventueel zwanger kunt worden.

Het hormoonstaafje is beter bekend onder de merknaam Implanon. Het wordt onderhuids aan de binnenkant van je bovenarm aangebracht en blijft 3 jaar lang werkzaam. Het geeft voortdurend een kleine hoeveelheid progesteron aan je bloedbaan af. Vrijwel direct na het verwijderen van het staafje herstelt je cyclus zich weer.

Het spiraaltje

hormoonhoudend
spiraaltje

Het *koperhoudend spiraaltje* verstoort de opbouw van het slijmvlies in de baarmoeder. Het voorkomt de eisprong niet, maar zowel zaadcellen als eicellen kunnen slecht tegen het koper. Er kan dus moeilijker een bevruchting plaatsvinden. Als er inderdaad een bevruchting plaatsvindt, kan het bevruchte eitje zich niet innestelen in de baarmoeder (het baarmoeder-

slijmvlies) door de aanwezigheid van het spiraaltje. Het kan zich dus niet verder ontwikkelen. Met de maandelijkse menstruatie verdwijnt het eitje uit het lichaam. Je cyclus is niet verstoord en gaat gewoon door.

Het *hormoonhoudend spiraaltje* bevat het hormoon progesteron. Dat maakt het slijm in de baarmoedermond ondoordringbaar en het verstoort ook de opbouw van het baarmoederslijmvlies. Je zult gemerkt hebben dat je duidelijk minder menstrueert. Je hebt zelfs 30% kans dat je helemaal niet meer menstrueert, al hebben veel vrouwen in de eerste maanden last van wat onregelmatig bloedverlies. Dit effect hebben alle voorbehoedsmiddelen die het hormoon progesteron (zonder de combinatie met oestrogenen) bevatten.

Het hormoon in het spiraaltje werkt plaatselijk. Er is wel iets van het hormoon terug te vinden in het bloed, maar veel minder dan bij pilgebruik. Bij 85% van de vrouwen gaat de ontwikkeling van de eicellen – en de eisprong – gewoon door.

Bijzonder aan dit spiraaltje is dat het een heel erg betrouwbaar voorbehoedsmiddel is. Het is zelfs betrouwbaarder dan sterilisatie, met als grote voordeel dat de werking eenvoudig is op te heffen door het te verwijderen.

Je eigen huisarts (of gynaecoloog) kan het spiraaltje eenvoudig verwijderen. Je menstruatiecyclus is meteen weer als vanouds.

Ook na het verwijderen van een spiraaltje is het geen enkel probleem als je meteen zwanger wordt.

Nergens in Europa wordt zo weinig gebruikgemaakt van een spiraaltje als voorbehoedsmiddel als in Nederland: 2–4%. In de ons omringende landen is dit 10–12%, in Zweden zelfs 25%. Men denkt vaak dat er meer complicaties als infecties, onvruchtbaarheid en buitenbaarmoederlijke zwangerschappen zouden optreden door het spiraaltje. Dat is niet het geval.

Sterilisatie ongedaan maken

Als jij gesteriliseerd bent of je partner is dat, dan moet je dit in principe beschouwen als onomkeerbaar. Het kan echter in enkele gevallen wel ongedaan gemaakt worden.

Bij vrouwen lukt dat meestal alleen wanneer de sterilisatie is gedaan met behulp van ringetjes of clips. Bij sterilisatie door middel van dichtschroei-en van eileiders (coagulatie) is er meestal onvoldoende eileider over om dit operatief te herstellen. Als dit al is gelukt, dan is de kans op complicaties als een buitenbaarmoederlijke zwangerschap vrij groot als gevolg van littekenvorming om en in de eileider.

Het succespercentage van een hersteloperatie na sterilisatie met behulp van ringetjes of clips (*refertilisatie* genoemd) is bij vrouwen 80%.

Bij mannen is de mogelijkheid van het ongedaan maken afhankelijk van de tijd die is verstreken tussen de sterilisatie en de hersteloperatie: hoe meer tijd is verstreken, hoe kleiner je kansen zijn op (voldoende) herstel van je zaadproductie en vooral: het tot stand brengen van een zwanger-schap. Na de (succesvolle) hersteloperatie moet je soms lang wachten voor er enig zaadherstel te zien is. Toch kan het verschijnen van een enkele zaadcel al een flinke winst voor je betekenen als je (jullie) het ervoor over hebben om eventueel door te gaan met geassisteerde voort-plantingstechnieken (zoals bijvoorbeeld reageerbuisbevruchting).

Zaadcellen

Vrijen om zwanger te worden

Kies je er eenmaal doelbewust voor om zwanger te worden, dan verandert het karakter van vrijen: je focust je meer en meer op het zwanger worden. Maakt dit aanvankelijk het vrijen misschien juist spannender, naarmate het langer duurt zou dat om kunnen slaan in alleen nog maar proberen om zwanger te worden.

Toch moet je niet uit het oog verliezen dat het om jullie tweeën is begonnen: jullie relatie vormt de basis van het besluit om een kind proberen te krijgen. Als je alleen nog maar met gemeenschap bezig bent om een kind te krijgen, wordt de seks wel erg resultaatgericht. Dat kan jullie relatie een stevige knauw geven.

Probeer ook ruimte te nemen om gewoon te vrijen – te vrijen om het vrijen met elkaar.

Timing om je kansen te vergroten

Natuurlijke gezinsplanning

Jij en je partner kunnen ooit samen hebben gekozen voor een manier om zonder kunstmatige voorbehoedsmiddelen te voorkomen dat je zwanger wordt. De nadruk hierbij valt op het samen kiezen, omdat je in je berekende vruchtbare periode geen gemeenschap moet hebben. Andersom kun je deze methode ook gebruiken om de kans op een zwangerschap te vergroten doordat je weet wanneer je het vruchtbaarst bent. Dat kun je beoordelen als je goed let op wat je lichaam doet, welke tekenen het afgeeft.

Je vruchtbare periode kun je berekenen met de zogeheten 'sympto-thermale methode', waarbij je door middel van het dagelijks controleren van de kwaliteit en hoeveelheid van je baarmoederhalsslijm (= symptoom) en je basale temperatuurcurve (= thermaal) bepaalt wanneer je vruchtbaar kunt zijn. De temperatuurcurve en de slijmontwikkeling worden beschreven in hoofdstuk 2, Je menstruatiecyclus.

Je kunt ervan uitgaan dat er circa 14 dagen tussen je eisprong en je volgende menstruatie zit. Gerekend vanaf de eerste dag van je menstruatie kun je op zijn vroegst je eisprong verwachten 14 dagen vóór de volgende menstruatie, uitgaande van je kortste cyclus. Hierbij nog genomen dat zaadcellen op zijn langst 5 à 6 dagen kunnen overleven, start je vruchtbare periode 19 dagen vóór je eerstvolgende menstruatie.

Varieert je cyclus tussen de 26 en 29 dagen, dan start je (mogelijke) vruchtbare periode vanaf dag 7 na het begin van je cyclus (26 – 14 – 5). Drie dagen nadat je op je temperatuurcurve ziet dat je temperatuur hoger blijft en je slijmafscheiding minder en anders is (je zogeheten 'slijmpiekdag' is voorbij), ben je weer onvruchtbaar. Je eisprong is geweest en het eitje is te gronde gegaan.

Deze natuurlijke methode van gezinsplanning wordt betrouwbaarder als je langer dan 6 maanden de tijd hebt genomen om je cyclus te leren kennen. Bovendien: hoe regelmatiger je menstrueert, hoe beter je vruchtbare tijd te bepalen is.

Ovulatietest

De laatste 10 jaar zijn de testen om in de urine de concentratie van het hormoon LH te bepalen sterk verbeterd. Een LH-piek zegt iets over je eisprong: deze zal over het algemeen plaatsvinden tussen 0 en 2 dagen nadat deze piek is geweest. Een enkele keer geeft de test een vertraagde reactie en is pas positief nadát je eisprong al plaatsgevonden heeft. Deze urinekits zijn vrij in de handel verkrijgbaar. Bovendien zijn ze betaalbaar en eenvoudig uit te voeren. Wil je de LH-piek niet missen, dan is het raadzaam deze test 2 maal per dag uit te voeren in de periode dat je de eisprong verwacht.

Vraag jezelf wel even af of je meteen zo gepland aan de slag wilt om een kind te krijgen. De spontaniteit van het vrijen staat bij het zwanger willen worden op den duur nog wel eens op de tocht. Als je deze methode wilt gebruiken, voorkom dan dat het een zakelijke bedoening wordt en jullie alleen nog maar vrijen op de tijdstippen waarop je vruchtbaar bent. Bedenk dat seksualiteit een normaal onderdeel is van jullie relatie, en dat het belangrijk is dat jullie daar plezier aan blijven beleven.

Vaak vrijen

Al lijkt het logisch om vooral te mikken op de tijd rond de eisprong, toch blijkt uit grotere onderzoeken dat de kans om zwanger te worden groter is bij paren die heel regelmatig seks met elkaar hebben (meer dan 10 keer per maand) dan bij paren die 1 à 2 keer per maand rond de eisprong (getimede) gemeenschap hebben.

Hier is een goede verklaring voor. Ten eerste is het bij jou als vrouw niet altijd precies aan te geven wanneer je een eisprong hebt: er is altijd enige variatie. Soms heb je een vroegtijdige (of late) eisprong.

Voor de man geldt: je moet regelmatig een zaadlozing hebben wil je zaadkwaliteit goed zijn. Te veel klaarkomen (in dit verband is dat meer dan eens per dag) is niet goed voor je zaadkwaliteit. Te weinig klaarko-men, dat wil zeggen minder dan 2 keer per week, is ook niet gunstig. Er is een model ontwikkeld dat per cyclus aangeeft wat je kansen zijn om zwanger te worden. Dit is gebaseerd op de totale bevolking, dus zonder rekening te houden met individuele kansen per leeftijd. Als je elke dag gemeenschap hebt, dan heb je 37% kans op een bevruchting. Vrij je om de dag, dan vermindert je kans niet zo heel veel – die is dan altijd nog 33%. Als je echter (*zonder timing*) eenmaal per week gemeen-schap hebt, dan daalt je bevruchtingskans naar 15% per cyclus.

In deze studie bleek dat alle zwangerschappen waren ontstaan vanaf 6 dagen voor de eisprong tot aan het moment van de eisprong.

Bedenk met dit verhaal in je achterhoofd dat je kansen om zwanger te worden duidelijk kleiner zijn als jullie maar eenmaal gemeenschap hebben op geleide van een ovulatietest. Je benut de relatief lange vruchtbare periode vóór je eisprong dan niet goed. En als je net niet nauwkeurig genoeg getimed hebt, kan het moment van de gemeenschap te laat zijn en na de eisprong plaatsvinden.

> **Als je slechts één keer per week gemeenschap hebt, verlaagt dit je kansen om zwanger te worden. Minimaal 2 à 3 keer per week vergroot je kansen aanzienlijk. Dagelijkse gemeenschap vergroot je kansen niet veel meer; bovendien kan dat uitmonden in al te vaak verplichte seks.**

Negatieve zwangerschapstest

5

Je wordt niet direct zwanger

Wat zijn je kansen om zwanger te worden?

Het is goed om vooraf al te weten hoe je kansen liggen als je zwanger wilt worden. Als je weet dat je er niet op moet rekenen dat je meteen zwanger wordt, kan dat jou (en je partner) de rust geven die je nodig hebt om zwanger te worden. Stress heeft een negatieve invloed op je lichaam. Het kan soms zelfs je cyclus ontregelen.

Als je gaat piekeren kan dat je slaap weer verstoren. Daardoor word je moe, en vermindert ook je zin in seks en mogelijk de frequentie waarin jullie gemeenschap hebben.

Hoe meer gefixeerd je raakt op het zwanger worden, hoe langer het kan duren voordat je zwanger wordt.

Het is, dankzij verfijndere technieken van onderzoek, duidelijk dat de kans per cyclus op een bevrucht eitje erg groot is: 80%. Het merendeel van de bevruchte eitjes nestelt echter niet in en vervolgens zul je 'gewoon' ongesteld worden. In feite kun je dit zien als hele vroege miskramen.

Na je 30ste levensjaar vermindert de kans op zwangerschap (zie voor de invloed van je leeftijd hoofdstuk 3, Een kinderwens – voorbereiding en risicofactoren).

> **De 'kans op zwangerschap' houdt in: kans op een positieve zwangerschapstest. Dat is iets anders dan de kans op een kind: er is na de bevruchting en innesteling nog een hele weg te gaan.**

cumulatief zwangerschapspercentage

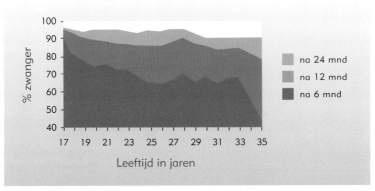

Zwangerschapskansen uitgezet naar leeftijd na 6, 12 en 24 maanden. Zo valt op dat van de groep jonge vrouwen van 17 jaar 90% zwanger na 6 maanden is. Van de groep van 35 jaar is slechts 55% zwanger na 6 maanden. **Bron: dr. F. van Balen**

Verwacht dus niet dat je meteen zwanger bent. Geef jezelf zeker een jaar de tijd om zwanger te worden. Als er geen voor de hand liggende redenen zijn om aan te nemen dat er iets mis is, kun je jezelf het best even de tijd geven: het komt meestal vanzelf goed.

De tijd is niet je grootste vriend als je zwanger wilt worden en het niet direct lukt. Want als je het besluit van zwanger te worden eenmaal hebt genomen, wil je natuurlijk dat het ook snel gebeurt. En als je zwangerschap lang op zich laat wachten, komt je leeftijd om de hoek kijken want intussen tikt je biologische klok door...

Je zwangerschap blijft uit: wat nu?

Met het uitblijven van je zwangerschap word je misschien ongeduriger. Om je heen zie je steeds meer zwangere vrouwen lopen, kinderwagens zijn al niet meer te tellen... Je wordt toch wat ongerust als jullie al een half jaar, driekwart jaar 'bezig' zijn. Onnadenkende opmerkingen van anderen als: 'Hij hoeft maar naar me te kijken en ik word zwanger' gaan je erg kwetsen.

Het kan een vervelende, onzekere tijd worden. Ga samen met je partner na of er voor jullie zelf waarneembare factoren kunnen zijn die een belemmering vormen voor jullie vruchtbaarheid (zie hoofdstuk 3 – Een kinderwens – voorbereiding en risicofactoren).

> **Uiteindelijk blijft minder dan 5% van de paren ongewenst kinderloos. Ruim 95% van de paren krijgt wel een kind. Er bestaat dus een grote kans dat jullie in die tweede groep zullen vallen.**

Misschien dat je er iets geruster op wordt als alles er wat dat betreft goed uitziet. Een enkele keer is er iets waardoor het zin kan hebben in een vrij vroeg stadium je huisarts om advies te vragen.

En als de zwangerschap zich dan na verloop van tijd nog niet heeft aangediend, komt de vraag: wanneer zet je de stap om verder onderzoek te laten doen? Misschien hebben jullie je voorgenomen dat het spontaan moet gaan en anders maar niet, dus zonder dat eraan 'gedokterd' wordt. Maar in de tijd tussen het moment dat je er zo over dacht en het moment waarop je constateert dat je maar niet zwanger wordt, is waarschijnlijk je verlangen naar een kind steeds groter geworden.

Stel je voor dat het maar een kleinigheid is die een zwangerschap in de weg staat? Eerst eens naar de huisarts. Dat is de eerste drempel. Daarna komt de volgende: de gynaecoloog en/of de uroloog – wel of niet? Zo ja, tot hoever wil je gaan? Er zijn veel (dikwijls lange) trajecten die bewandeld kunnen worden, en dat gebeurt vaak stap voor stap. In de praktijk blijkt dat er steeds weer een grens wordt verlegd.

Juist omdat het nemen van die stapjes zo geleidelijk en welhaast ongemerkt gaat, is het goed om af en toe pas op de plaats te maken en rustig met elkaar te bespreken wat jullie wel en wat jullie niet willen. Misschien vind je ergens een grens die je bewust niet over wilt. Dat zal een keerpunt in je leven zijn. Dan geef je (langzaam) een andere invulling aan je toekomst en ga je verder.

Begin bij het begin

Hebben jullie regelmatig en zonder problemen gemeenschap? Het lijkt zo logisch, maar aan de andere kant is het geen onderwerp waar makkelijk over gesproken wordt. Er zijn paren bij wie op het seksuele vlak een probleem is (ontstaan). Hulp zoeken is lastig: het voelt soms ook alsof je tekortschiet. Je kunt al jaren worstelen met dit probleem, maar nu wordt het echt een groot punt.

Erectiestoornis

Je kunt het bespotten, er stoer over doen of wegwuiven, maar hoe je het ook wendt of keert: een erectie is erg belangrijk voor een man. Als het je niet lukt om een erectie te krijgen kan je zelfvertrouwen een fikse deuk oplopen.

Hoe symbolisch dat bij mannen onderling 'presteren' het synoniem is voor een erectie met zaadlozing. Ben je dan met andere woorden een 'loser' als je niet 'presteert'?

Als je bovendien wilt dat je partner zwanger wordt, heb je een groot probleem. Zonder erectie geen gemeenschap. Ook een zaadlozing is veel moeilijker omdat je moeilijker tot een orgasme (en dus zaadlozing) kunt komen.

Als je ouder wordt (dat geldt bij gezonde mannen over het algemeen pas boven de zestig jaar) zul je merken dat 'het' allemaal wat minder wordt. Maar als je tegen die tijd nog erg actief bent, en niet alleen op het seksuele vlak, kun je mogelijk zelfs tot boven je tachtigste seksueel goed functioneren.

Wel heb je met het ouder worden meer kans dat je te maken krijgt met aandoeningen als suikerziekte, langdurige hoge bloeddruk en hart- en vaatziekten. Deze ziekten, maar ook bepaalde medicijnen, kunnen erectieproblemen veroorzaken.

Je lichamelijke conditie speelt een belangrijke rol. Als je dagelijks overmatig alcohol gebruikt of fors rookt, maar ook als je bepaalde medicijnen gebruikt of bijvoorbeeld aan je prostaat geopereerd bent, kan het zijn dat je merkt dat je problemen hebt om een erectie te krijgen. Soms duurt de erectie te kort of wordt je penis niet stijf genoeg, maar het kan ook zijn dat het helemaal niet meer lukt.

Er is wel een duidelijk verschil of je nooit een erectie krijgt, dus ook niet bij masturberen of bij het wakker worden, of alleen maar als je wilt vrijen met je partner.

Als je penis nooit stijf wordt, dan is er naar alle waarschijnlijkheid lichamelijk iets niet in orde. Dat kan bijvoorbeeld het gevolg zijn van een ernstig ongeluk.

Als je alleen in bepaalde situaties geen erectie kunt krijgen, kan dat komen door stress of frustratie. Dit komt vaker voor. Het kan voorbijgaand zijn (bijvoorbeeld door drukte op je werk, vermoeidheid) maar het kan ook langer duren.

Als je partner reageert op een manier die je (misschien ongemerkt) frustreert, kan het van kwaad tot erger gaan. Als er relatieproblemen spelen, dan moet je eigenlijk eerst hiermee aan de slag. Misschien kan een relatietherapeut jullie op weg helpen om beter met elkaar om te gaan, maar ook een seksuoloog kan je een duw in de goede richting geven. Belangrijk is dat jullie open kunnen communiceren. Ook kan het goed helpen als jullie leren vrijen zonder gefixeerd te zijn op 'de daad' (de coïtus) zelf. Als je leert te vrijen zonder gemeenschap te hebben en daar ook plezier aan kunt beleven, dan kan het probleem heel goed vanzelf verdwijnen.

Als je erectieproblemen niet overgaan kan je arts medicijnen voorschrijven. Viagra, Cialis, Levitra en Uprima zijn tegenwoordig op recept verkrijgbaar. Deze zetten aan tot erectie, maar werken alleen als je ook zín hebt in seks. Dan functioneert alles verder hetzelfde als bij een man die geen erectieproblemen heeft.

Naast pillen kunnen ook erectieopwekkende stoffen worden toegediend door middel van een injectie in het zwellichaam van je penis. De erectie is dan niet afhankelijk van de zin in seks, maar van de hoeveelheid werkzame stof die is toegediend. Je mag dus absoluut niet meer gebruiken dan door je arts is voorgeschreven, omdat de erectie anders te lang kan duren en dat kan schade toebrengen aan je penis.

Verder kunnen bij sommige mannen lustverhogende middelen (ook wel *afrodisiaca* genoemd) en ook bepaalde plantenextracten als ginseng helpen om een erectie te krijgen.

Uiteindelijk kan in het uiterste geval een operatieve ingreep uitkomst bieden. Hierbij wordt een zogenaamde erectieprothese in je penis geplaatst. Je kunt dan een erectie krijgen zonder dat je zin hoeft te hebben in seks.

Dankzij deze middelen kun je (gemakkelijker) gemeenschap hebben, waardoor het minder moeilijk wordt een orgasme (dus zaadlozing) te krijgen. Zo lukt het dan toch om het sperma op de plaats te krijgen waar het voor de bevruchting moet komen.

Vaginisme

Als vrouw kun je behoorlijk gefrustreerd raken als je merkt dat je vaginistisch bent. Ook daar hangt een taboeachtige sfeer omheen.

Als je vaginistisch bent trek je, meestal zonder dat je het in de gaten hebt, de spieren rond je vagina en/of je bekkenbodemspieren samen. Daardoor vernauwt de wand van je vagina. Penetratie wordt dan erg pijnlijk, soms zelfs onmogelijk. Vaak heb je niet alleen een probleem met gemeenschap, maar ook inwendig onderzoek is een groot probleem. Soms lukt het je zelfs niet om bij jezelf een tampon in te brengen.

De basis van dit probleem ligt ook meestal op het psychische vlak. Het is soms angst voor het onbekende (weet je hoe je eruitziet, hoe je in elkaar zit?). Het kan zijn dat je denkt dat je te nauw bent, maar dat komt in werkelijkheid eigenlijk niet voor.

Als je op het seksuele vlak een nare ervaring(en) hebt, misschien ben je zelfs ooit verkracht, dan ligt het voor de hand dat gemeenschap erg beladen is. Ook dan speelt angst een grote rol.

Soms ligt een slechte relatie met je partner aan de basis van je lichamelijke reactie bij het vrijen.

Een enkele keer is er een lichamelijke oorzaak te vinden. Soms wordt er een infectie ontdekt: de hierdoor ontstane ontsteking aan je vaginawand of baarmoedermond kan pijnlijk zijn. Dan heb je meestal ook meer afscheiding en jeuk, soms ook tussentijds bloedverlies.

Er kunnen littekens zijn ontstaan, bijvoorbeeld na een eerdere zwangerschap: ook dan kan gemeenschap pijnlijker zijn waardoor je ook je spieren meer aanspant. Daardoor kun je in een vicieuze cirkel van pijn, angst en aanspannen belanden, wat het probleem alleen maar groter maakt.

In een heel enkel geval wordt er een anatomische oorzaak gevonden, zoals bijvoorbeeld een aangeboren afwijking aan je schede.

Pijn bij het vrijen heet *dyspareunie* (letterlijk: pijn bij samenkomen). Een oorzaak hiervoor is jammer genoeg niet altijd te vinden. Je kunt hiervoor worden verwezen naar een gynaecoloog. Een seksuolo(o)g(e) kan je soms helpen met je vaginisme. Maar misschien kun je met enkele goede adviezen (van je huisarts of mogelijk uit de boeken die je leest) ook zelf aan de slag om je vaginisme te overwinnen.

Heel in het kort een paar tips. Leer jezelf kennen: bekijk jezelf en raak jezelf aan. De befaamde spiegel kan je helpen om te onderzoeken hoe je in elkaar zit. Neem er heel rustig je tijd voor. Raak jezelf aan met blote vingers. Kijk eens of je probleemloos, stap voor stap, een vinger bij jezelf naar binnen kunt brengen.

Vertrouwd raken met jezelf is het sleutelwoord.

Je cyclus

Je kunt een indruk krijgen of je lichaam doet wat het moet doen door jezelf de volgende vragen te stellen.

Word ik regelmatig ongesteld?

Om een indruk te krijgen of het allemaal naar behoren functioneert is het goed om een **menstruatiekalender** te maken.

Dit kan heel eenvoudig: zet in je agenda kruisjes op de dagen dat je ongesteld bent. Hierbij zou je ook aantekeningen kunnen maken over de hoeveelheid bloedverlies (weinig tot veel), maar ook iets van wat je voelt. Zo kun je bijvoorbeeld noteren wanneer je het gevoel hebt dat je gespannen borsten krijgt, maar ook wanneer je buikpijn krijgt. Mocht je overigens een kortdurende pijn midden in je cyclus hebben gehad, dan kan dat ook door een eisprong komen.

menstruatiekalender

Als je na een paar keer je menstruatie te hebben bijgehouden terugkijkt, kun je een indruk krijgen hoe je cyclus verloopt. Je weet dan hoe lang je menstruatie duurt. Over het algemeen duurt een ongesteldheid 3 tot 7 dagen, waarbij je op de 2^e dag het hevigst ongesteld bent.

Om de duur van je *cyclus* te berekenen tel je van de dag dat je menstruatie begint tot de dag dat je volgende menstruatie begint. Over het algemeen duurt een normale cyclus 26 tot 35 dagen.

Vaak is de variatie tussen je verschillende cycli maximaal 2 tot 3 dagen, maar het kan ook zijn dat er de ene keer 28 dagen tussen zit en de volgende keer 35 dagen of zelfs meer. In het eerste geval is sprake van een regelmatige cyclus. Hoe meer variatie je cyclus vertoont, hoe onregelmatiger hij is.

Er zijn vrouwen die nauwelijks een idee hebben wanneer ze voor het laatst ongesteld zijn geweest. Als je regelmatig vrijt en je gebruikt geen voorbehoedsmiddel is het vast heerlijk dat je er zo onbezorgd mee om kunt gaan.

Mocht je uiteindelijk zwanger blijken, dan is het toch wel handig om te weten wanneer je laatste menstruatie is geweest. Dit om een idee te hebben hoe lang je al zwanger bent. Ook je cyclusduur is hier van belang: als je een lange cyclus hebt is je eisprong later dan wanneer je een korte cyclus hebt. Bij een lange cyclus ben je dus later bevrucht en vanzelfsprekend minder lang zwanger.

Kortom: inzicht in je menstruatiecyclus is hoe dan ook praktisch.

Heb ik wel een eisprong?

Hier kun je zelf geen definitief antwoord op geven. Wel kun je zoeken naar tekenen die het heel aannemelijk maken dat je inderdaad een eisprong hebt in de loop van je cyclus.

Basale temperatuurcurve

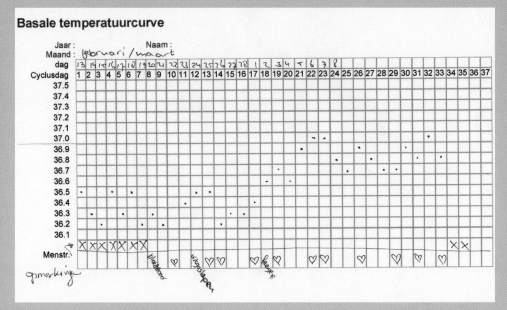

Basale temperatuurcurve (x = menstruatie)

Je kunt er meestal van uitgaan dat je bij een regelmatige cyclus inderdaad een eisprong hebt.

Aanvullend kun je een basale temperatuurcurve, BTC, maken (zie hoofdstuk 2, Je menstruatiecyclus). Als je in deze curve duidelijk twee fases kunt onderscheiden, versterkt dat het vermoeden. Hierbij heeft de eerste periode een temperatuur die een paar tienden van een graad lager is dan de tweede, 'warmere' fase, die minimaal 12 dagen duurt. Als deze curve een heel duidelijk patroon geeft, dan hoef je het eigenlijk niet te herhalen. Mocht je, als het niet zo duidelijk voor je is, nog twijfelen dan kun je natuurlijk zo'n BTC herhalen.

Vrijen jullie wel op de juiste momenten?

Als je inzicht hebt gekregen in je menstruatiecyclus, kun je ook nagaan of de tijdstippen waarop jullie gemeenschap hebben in ieder geval ook in je vruchtbare periode vallen.

In hoofdstuk 4, Zwanger worden, is uitgebreid ingegaan op hoe je het best deze tijd kunt berekenen.

Hans Pruijn *Zonder titel*

6

Medisch onderzoek: wat en wanneer?

De huisarts

Wanneer kun je het beste contact opnemen met je huisarts?

Problemen met vrijen

Als er problemen zijn op het seksuele vlak, dan kan je huisarts vaak helpen. Natuurlijk spreek je niet graag over deze problemen. Angst en schaamte spelen meestal een grote rol.

Probeer jezelf voor te houden dat je echt niet de eerste zult zijn met een hulpvraag op seksueel gebied. Kun of wil je niet met je huisarts hierover praten, dan kan je huisarts je direct verwijzen naar bijvoorbeeld een seksuoloog of relatietherapeut. Soms kan het zinvoller lijken om jullie naar een gynaecoloog of een uroloog door te sturen.

Stoornissen in je menstruatiecyclus

Als je hebt gemerkt dat je menstruatie extreem lang wegblijft (meer dan een half jaar), dan heeft het vanzelfsprekend erg weinig zin om nog langer te proberen spontaan zwanger te worden. Maar ook als je bijvoorbeeld maar eenmaal per 6 tot 8 weken ongesteld wordt of juist elke 2 à 3 weken, geeft je cyclus minder kans op een zwangerschap. Nogmaals: tel van de eerste dag van je menstruatie tot de eerste dag van de volgende.

Als je geen goede cyclus hebt, werken je hormonen blijkbaar niet naar behoren. Het valt dan sterk te betwijfelen of er wel een eisprong ís.

Ook als je bij herhaling geen temperatuurstijging ziet in je temperatuurcurve lijkt afwachten niet erg zinvol.

Als je het idee hebt dat er problemen met je eisprong zijn, dan kun je je huisarts om raad vragen.

Andere (lichamelijke) afwijkingen

Misschien is het je opgevallen dat je (melk)afscheiding hebt uit je borsten. Misschien ben je ooit geopereerd aan je eierstokken of baarmoeder of ben je geopereerd na een ernstige blindedarmontsteking (alle operaties in je onderbuik kunnen van belang zijn). Misschien ben je op de hoogte van een bepaalde aangeboren afwijking bij jou of je partner. Misschien zijn er ooit, bij bepaalde infecties bijvoorbeeld, uitspraken gedaan die betrekking hebben op een verminderde vruchtbaarheid. Mocht er iets spelen waardoor jij of je partner het idee hebt dat er een belemmering kan zijn om zwanger te worden, dan is dat een goede reden om in een vroeg stadium naar de huisarts te gaan.

Er is meer dan een jaar verstreken

Als je op latere leeftijd zwanger probeert te worden, heb je meer kans dat het wat langer duurt. Aan de andere kant heb je minder tijd omdat je leeftijd telt, dus kun je het je niet permitteren om langer af te wachten.

Als een zwangerschap op jonge leeftijd uitblijft is er meer reden om te denken dat er iets aan de hand is.

Daarom geldt voor de probleemfactor *tijd* als grens: één jaar. Zijn jullie langer dan een jaar serieus bezig om zwanger te worden, dan kom je in aanmerking voor verdere diagnostiek en begeleiding.

Wat kan je huisarts voor je doen?

Jullie voorgeschiedenis

Je huisarts zal samen met jullie alles op een rijtje zetten. Hij/zij zal,aan de hand van de ziektegeschiedenis van jou en je partner en enkele aanvullende onderzoeken, proberen in te schatten of verder afwachten zinvol is.

Alle bijzondere operaties, infecties en ziektes zullen worden nageplozen om te zien of hier een oorzaak kan liggen die een belemmering vormt om zwanger te worden. Als je medicijnen (hebt) gebruikt of bent blootgesteld aan andere schadelijke stoffen, dan is het goed om dit te melden. Als je chemotherapie en/of radiotherapie hebt gehad is ongetwijfeld het kwalijke effect hiervan op je vruchtbaarheid al besproken.

Een lijstje met je menstruatiedagen zal helpen inzicht te krijgen in je cyclus.

Heb je nog geen temperatuurcurve gemaakt, dan zal je huisarts je vragen om dit alsnog te doen. Als het je niet goed gelukt is om een (duidelijke) temperatuurcurve te maken, dan kan je huisarts met je doornemen of je het wel op de juiste manier hebt gedaan, waarna je het eventueel nogmaals kunt proberen.

Onderzoek

Nadat je huisarts dit allemaal met jullie heeft doorgenomen, kunnen er op enig moment ook enkele aanvullende onderzoeken worden verricht.

> Bij ongewenste kinderloosheid wordt na onderzoek in *grofweg* 25% van de gevallen de meest waarschijnlijke oorzaak gevonden bij de vrouw en 25% bij de man. Bij 25% ligt de oorzaak bij beiden en in 25% van de gevallen wordt geen oorzaak gevonden.

Lichamelijk onderzoek van de vrouw

Bij jou als vrouw zal de huisarts zeker lichamelijk onderzoek doen. Lichamelijk onderzoek houdt onder andere in dat je huisarts je lichaam als geheel zal bekijken: hoe ben je gebouwd, hoe loopt je beharing. Afwijkende (mannelijke) beharing kan namelijk duiden op hormonale verstoring: misschien heb je wel te veel van het mannelijk hormoon.

Littekens kunnen een aanwijzing zijn voor (vergeten?) operaties in het verleden die van invloed zijn op je vruchtbaarheid.

Verder is, zoals in hoofdstuk 3 is gemeld, je lichaamsgewicht van belang. Extreem over- of ondergewicht kan je vruchtbaarheid verstoren. Door je inwendig te onderzoeken kan je huisarts beoordelen of je baarmoeder en eierstokken normaal aanvoelen.

In Nederland wordt de man pas lichamelijk onderzocht als zijn 'product', het sperma, tekort lijkt te schieten. Vandaar dat bij de man eerst spermaonderzoek plaatsvindt en dan pas (indien nodig) lichamelijk onderzoek.

Zaadonderzoek en de uitslag

Voor het zaad- of spermaonderzoek zal jou als man worden gevraagd om een paar dagen (3 tot 5 dagen) geen zaadlozing te hebben. Daarna moet je, door middel van masturbatie, klaarkomen waarbij je je sperma moet opvangen in een daarvoor geschikt potje. Dit moet je dan binnen een bepaalde tijd afleveren bij het afgesproken laboratorium.

Het laboratorium onderzoekt vervolgens hoeveel zaadcellen er in een zaadlozing zitten, hoe beweeglijk ze zijn en hoe ze eruitzien. Ook het volume (de hoeveelheid vloeistof) en de zuurgraad worden bekeken.

Voor wat betreft het *aantal* zaadcellen per milliliter zaadlozing (ejaculaat) worden er verschillende getallen aangehouden voor wat 'normaal' is. Je kunt in ieder geval stellen dat zolang er nog (beweeglijke) zaadcellen in het sperma zitten, je niet per definitie onvruchtbaar bent.

Over het algemeen wordt gesteld dat meer dan 20 miljoen zaadcellen per milliliter sperma een normaal aantal is. Bovendien moet ten minste de helft van de zaadcellen goed beweeglijk zijn en zeker 10% moet er normaal uitzien.

Heb je minder zaadcellen, dan wordt dat *oligozoöspermie* genoemd en ben je (mogelijk) verminderd vruchtbaar. Wordt er, bij herhaling, geen enkele zaadcel gevonden, dan wordt dat *azoöspermie* genoemd. Je bent dan steriel: het is onmogelijk voor je om een eicel te bevruchten. Dit laatste komt zelden voor.

Is de uitkomst van het zaadonderzoek dat er geen afwijkingen in je zaad te vinden zijn, dan hoeft er verder geen onderzoek bij jou als man plaats te vinden.

Post-coïtumtest (PCT)

Als je wilt weten of de zaadcellen een kans maken om hun doel te bereiken, kun je een post-coïtumtest laten doen. Zoals het woord al aangeeft, is dat een test die gedaan wordt nadat jullie gemeenschap hebben gehad. Het wordt ook wel een samenlevingstest of de Simms-Hühnertest genoemd.

Dit kan eventueel gedaan worden door je huisarts. Als hij/zij hier geen ervaring mee heeft, dan zal deze test overgelaten worden aan de gynaecoloog.

Bij deze test moet je ongeveer weten wanneer je tegen je eisprong aanzit. Bij een regelmatige cyclus moet je 15 tot 16 dagen rekenen vóór je verwachte volgende menstruatie. Dat houdt in dat als je regelmatig elke 28 dagen ongesteld wordt, je de 12^e–13^e dag na de eerste dag van je laatste menstruatie moet nemen.

De avond ervoor moet je gemeenschap hebben gehad. Dan kan je huisarts de volgende ochtend door middel van speculumonderzoek wat slijm uit je baarmoedermond met een spuitje opzuigen. Zo kan dit slijm makkelijk worden beoordeeld: is het kristalhelder? Is het rekbaar (de slijmdraden die getrokken kunnen worden zijn meer dan 10 cm)? Zo ja, dan geeft dit aan dat je inderdaad rond je eisprong zit.

Gezondheidscentrum Spechtenkamp, Maarssenbroek

Ook de zuurgraad (pH) van je baarmoederslijm kan in één moeite door bepaald worden. De levensvatbaarheid en beweeglijkheid van zaadcellen is sterk afhankelijk van de zuurgraad. Is de zuurgraad te hoog, dan verliezen de zaadcellen hun levensvatbaarheid en beweeglijkheid (zie ook bladzijde 111).
Maar wat je vooral met deze test bekijkt: zijn er beweeglijke zaadcellen onder de microscoop terug te vinden?

Chlamydia-antistoftiter (CAT)
Een geslachtsziekte kan je eileiders beschadigen of zelfs afsluiten doordat een ontsteking littekens heeft achtergelaten. Ook bij de man kunnen geslachtsziekten een ongunstige invloed hebben op de vruchtbaarheid. Je kunt ongemerkt een geslachtsziekte oplopen. De verreweg meest voorkomende geslachtsziekte is chlamydia (zie ook hoofdstuk 3, Een kinderwens – Voorbereiding en risicofactoren).
Er is een test ontwikkeld die aan kan tonen of je lichaam met antistoffen heeft gereageerd op een besmetting met *chlamydia trachomatis*: de Chlamydia trachomatis-antistof-titerbepaling (CAT). En omdat chlamydia heel vaak de oorzaak is van beschadigde eileiders geeft de uitslag een sterke indicatie over de kans dat ze goed werken. 90% van de vrouwen met beschadigde eileiders heeft een positieve CAT.
Bij een positieve CAT kan het zinvol zijn als jij en je partner (alsnog) met antibiotica behandeld worden.

Evaluatie

Je huisarts zal met jullie alle uitslagen en bevindingen bespreken.
Als je een regelmatige menstruatiecyclus hebt kun je er in principe van
uitgaan dat je lichaam hormonaal goed functioneert. Regelmatig wil
zeggen dat je steeds binnen de 35 dagen opnieuw menstrueert. Als je
bovendien in je temperatuurcurve twee fases (eerste helft een iets lagere
temperatuur dan de tweede helft) kunt onderscheiden, mag je ook aan-
nemen dat je een eisprong hebt.
Als je voorzover je weet nooit een ontsteking (eileider- of forse blindedarmontsteking) of operatie in je onderbuik gehad hebt, is er in eerste
instantie geen reden voor verder onderzoek. Mocht je over je voorgeschiedenis wel iets dergelijks te melden hebben, of is de CAT positief,
dan zul je doorverwezen worden voor verder onderzoek.
Zijn het spermaonderzoek en de post-coïtumtest goed, dan is de mannelijke bijdrage normaal.
Uiteindelijk moet je ook de seksualiteit in ogenschouw nemen: zijn er
geen problemen op dit vlak, dan is dat in ieder geval geen beletsel om
zwanger te worden.
Als dit alles op een rijtje is gezet en er zijn geen afwijkingen gevonden,
zul je (voorlopig althans) de tijd zijn werk moeten laten doen.

In het kort wat je huisarts zal onderzoeken:

– Voorgeschiedenis: vragen over o.a. jullie seksualiteit en
  gemeenschapsfrequentie, mogelijke geslachtsziekten en over eventueel
  doorgemaakte ontstekingen of operaties in de onderbuik bij de vrouw.
– Menstruatiekalender en basale temperatuurcurve om de cyclus met al of
  niet een eisprong in te schatten.
– Lichamelijk onderzoek bij de vrouw: beoordeling van lichaamsbouw en
  -beharing.
– Inwendig onderzoek bij de vrouw: beoordeling van de vagina, de
  baarmoeder, eileiders en eierstokken.
– Zaadonderzoek bij de man: de hoeveelheid sperma en het aantal, de
  vorm en de beweeglijkheid van de zaadcellen.
– Post-coïtumtest (PCT): óf en hoeveel zaadcellen nog goed beweeglijk in
  het slijm van de baarmoedermond terug te vinden zijn, de ochtend na
  gemeenschap.
– Chlamydia-antistoftest (CAT): de bepaling van eventuele aanwezigheid
  van antistoffen tegen de geslachtsziekte chlamydia trachomatis als
  indicatie voor afwijkingen aan de eileiders.

De seksuoloog

Heel in het kort iets over de seksuoloog.

Een seksuoloog is van oorsprong vaak een psycholoog maar soms ook een arts of anderszins.

Er zijn seksuologen die verbonden zijn aan een ziekenhuis. Maar er zijn ook seksuologen werkzaam bij een regionale instelling als het RIAGG, en sommigen hebben hun eigen praktijk.

Je kunt verwezen worden door je huisarts of specialist, maar dat hoeft niet; je kunt ook zelf naar een seksuoloog gaan.

Een seksuoloog is er om jou (jullie) te helpen als je seksuele problemen hebt. Na een uitgebreid eerste gesprek wordt bekeken waar het probleem ligt en wordt een behandelingsschema opgesteld. Soms komt de seksuoloog tot de conclusie dat er ook een lichamelijke oorzaak kan zijn voor je probleem. Verwijzing naar een arts/specialist ligt dan voor de hand. Natuurlijk hoort seksuele voorlichting ook tot het takenpakket van een seksuoloog.

Vanzelfsprekend is het bijzonder belangrijk dat een seksuoloog je vertrouwen kan winnen, goed kan luisteren en je serieus neemt. Alleen dan kun je eerlijk en open zijn over zo'n intiem onderwerp als je seksualiteit. Meestal is behandeling door de seksuoloog voor eigen rekening, maar soms vergoedt je verzekering een deel.

De gynaecoloog

Om vóór alles bij stil te staan

Zoals al eerder gezegd, kan het medische circuit een lange tijd in beslag nemen. Emotioneel kan het je uiteindelijk helemaal opslokken: er bestaat niets anders meer.

Aan elke behandeling kleven voor- en nadelen. Het kan gebeuren dat je alleen de voordelen wilt zien en de nadelen naar de achtergrond schuift. Toch is het belangrijk om ook hier bij stil te staan. Je moet steeds met elkaar overwegen hoe ver je wilt gaan, wat je wel en niet wilt en aankunt. Omdat in de loop van de tijd jullie visie waarschijnlijk zal veranderen (je gaat toch maar steeds een stapje verder) is het belangrijk om van tijd tot tijd even een 'time-out' te nemen: even in alle rust kijken waar jullie nu staan.

En ook al zijn jullie bij lange na niet op een punt waarop jullie overwegen het hoofdstuk 'eigen kinderen krijgen' af te sluiten, toch is het goed om al in een relatief vroeg stadium met elkaar te bespreken hoe jullie over adoptie denken. Mochten jullie aan het eind van de rit met lege handen komen te staan en graag voor adoptie in aanmerking willen komen, ontbreekt soms de tijd. De procedure voor adoptie is er een van jaren, bovendien speelt ook hier leeftijd een rol: je mag niet te oud zijn als je een kind wilt adopteren.

> **Je hebt de neiging om je oorspronkelijke grenzen steeds weer te verleggen. Het is goed als jullie je dat realiseren. Dat je op tijd aan de rem kunt trekken, voordat het 'zwanger worden' te veel tol eist.**

Wanneer word je verwezen naar de gynaecoloog?

Als jullie minstens een jaar gericht bezig zijn om zwanger te worden, voldoen jullie aan de door medici gestelde norm 'langer dan normaal'. Jullie zijn dan zeker niet kansloos, maar vanaf dat moment kun je beslissen of je dan al de stap zult zetten naar de gynaecoloog of er misschien nog even mee wilt wachten. De gynaecoloog heeft niet alleen meer mogelijkheden voor verder onderzoek, maar ook tot op zekere hoogte (maar niet onbeperkt) mogelijkheden om bepaalde problemen te verhelpen. Ongeacht de duur van jullie kinderwens zal de huisarts je ook naar de gynaecoloog willen verwijzen als je al lange tijd niet of nauwelijks ongesteld bent geworden. Dat geldt ook als je temperatuurcurve bij herhaling vlak is, omdat je dan mogelijk geen eisprong hebt.
Ook als je extreem vaak ongesteld wordt (vaker dan 1x in de drie weken) zul je verwezen worden.
Als je een infectie hebt gehad of bent geopereerd in je onderbuik, kan het zinvol zijn om verder te zoeken naar mogelijke beschadiging van met name je eileiders. Dat geldt ook bij een positieve CAT.
Misschien is je al bekend dat één van jullie een afwijking heeft aan de geslachtsorganen. Misschien ontdekt je huisarts dit. Is dat het geval, dan heeft afwachten waarschijnlijk weinig zin. Een directe verwijzing naar de gynaecoloog kan jullie eerder duidelijkheid geven over jullie mogelijkheden en onmogelijkheden.
Dat geldt ook bij een slechte kwaliteit van het sperma. Een slechte postcoïtumtest zegt overigens meer over de kwaliteit van het baarmoederhalsslijm dan over de kwaliteit van het sperma.

Bij seksuele problematiek kan ook de gynaecoloog eventueel besluiten om jullie verder door te verwijzen naar een seksuoloog.

Om inzicht te krijgen in jullie kansen en de richting te vinden waarin verder onderzoek zinvol is, zal de gynaecoloog, met alle gegevens van de huisarts, maar ook vaak na herhaling van onderzoek, een plan maken. De belangrijkste factoren voor jullie kansen zijn, zoals reeds eerder genoemd: de leeftijd van de vrouw en de tijd die verstreken is sinds jullie gericht vrijen om zwanger te worden. Een post-coïtumtest die gedaan is op het juiste moment van je cyclus met een goed (positief) resultaat wijst op jullie goede kansen. Met de tijd die verstrijkt tijdens de bezoeken aan de gynaecoloog zijn er regelmatig paren die hun wens vervuld zien, onafhankelijk van de behandeling. Anders gezegd: ook al ben je het medische circuit ingedoken, dan nog heb je kans om spontaan, zonder dat je wordt behandeld, zwanger te worden.

Het onderzoek bij de vrouw

Ook de gynaecoloog zal zo goed mogelijk jullie voorgeschiedenis in kaart brengen. Alle inmiddels bekende zaken passeren de revue: ziektegeschiedenis, geslachtsziekten, operaties, medicijngebruik, alcohol en roken enzovoort, inclusief de vraag of (mogelijk in eerdere relaties) jij ooit eerder zwanger bent geweest respectievelijk of je partner ooit iemand heeft bevrucht.

Het lichamelijk onderzoek zal zijn zoals bij de huisarts: uitwendig en inwendig onderzoek bij de vrouw, zaadonderzoek bij de man.

Bepaalde onderzoeken kan de gynaecoloog gerichter doen omdat meer apparatuur voorhanden is.

> **Het is maar de vraag of je kansen op zwangerschap worden vergroot als je heel nauwkeurig kunt voorspellen wanneer je eisprong is en alleen dan gemeenschap hebt. Het blijkt namelijk dat paren die alleen op dat moment gemeenschap hebben minder snel zwanger worden dan zij die vaker vrijen. (Zie ook hoofdstuk 4, Zwanger worden.)**

Je eisprong

Als je menstruatie dikwijls meer dan 42 dagen op zich laat wachten, dan is het maar zeer de vraag of zich wel een eisprong voordoet.

Er zijn verschillende mogelijkheden om te onderzoeken of je een eisprong hebt. Het kan ook handig zijn als je kunt voorspellen wanneer je eisprong zal plaatsvinden. Dit in het kader van bepaalde onderzoeken, zoals de post-coïtumtest die bij voorkeur een dag voor je eisprong moet gebeuren.

Basale temperatuurcurve (BTC)

Is je menstruatiecyclus erg regelmatig, dan heb je eigenlijk altijd wel een eisprong.

Het is vast al een keer geverifieerd met een basale temperatuurcurve. Een normale curve bewijst niet dat je een eisprong hebt, maar maakt het wel erg waarschijnlijk. Het zegt iets achteraf: achteraf bekeken kun je, met een nauwkeurigheid van drie dagen voor tot drie dagen na de temperatuurstijging, zien wanneer je een eisprong moet hebben gehad.

LH-piek

Het meten van de LH-piek, de plotselinge sterke stijging van het luteïniserend hormoon die aan een eisprong voorafgaat, kan aan de hand van je bloed. Dit is belastend voor je, zeker als het vaak moet gebeuren. Bovendien is het kostbaar.

Deze bepaling kan echter ook gedaan worden aan de hand van je urine, wat een stuk goedkoper is en ook vrij nauwkeurig.

De LH-piek voorspelt meestal wanneer je je eisprong gaat hebben tot op 2 dagen nauwkeurig. Om de piek niet te missen kun je deze bepaling het best tweemaal per dag doen.

Zoals je waarschijnlijk inmiddels wel weet zijn er ook zogenaamde (urine-)ovulatietests vrij te koop bij drogist of apotheek. Er zijn ook zogenaamde 'speekseltests' in de handel, een apparaatje waarmee je zou kunnen onderzoeken aan de hand van een beetje speeksel of je vruchtbaar bent of niet. Uit onderzoek is echter gebleken dat deze tests geheel onbetrouwbaar zijn!

Progesteronmeting

Het progesteronniveau is in de eerste helft van je cyclus laag. Na je eisprong is dit hormoon in een duidelijk verhoogde concentratie aanwezig. Dat komt doordat het overgebleven eiblaasje (dat zich ontwikkelt tot het *gele lichaam*: het *corpus luteum*) dit hormoon gaat produceren. Het progesteron bereidt het slijmvlies van je baarmoeder voor op de mogelijke innesteling van een bevrucht eitje en is essentieel voor het instandhouden van een prille zwangerschap.

Je kunt het progesteronniveau bepalen in het midden van de tweede helft van je cyclus: bij voorkeur 7 dagen voor de te verwachten volgende menstruatie. In de praktijk zal dat 18 tot 24 dagen na het begin van de laatste menstruatie zijn. Zo kan de gynaecoloog proberen te achterhalen of je wel een (goede) eisprong hebt. Over welke precieze waarde dit hormoon minimaal moet hebben is discussie.

Ook kan (één of meerdere keren) een stukje van het slijmvlies van je baarmoeder weggenomen worden om te kijken of je baarmoederslijmvlies goed reageert op de cyclische veranderingen. Dit wordt in medische termen een *endometriumbiopsie* genoemd.

Het bepalen van het progesteronniveau is veel minder belastend dan de (soms pijnlijke) endometriumbiopsie maar zegt evenveel. Daarom wordt dit laatste vaak niet meer gedaan.

De progesteronbepaling gebeurt aan de hand van je bloed. Een enkele keer wordt het nog bepaald uit je speeksel.

Echoscopie

Door middel van echoscopie kan, dankzij het omzetten van weerkaatst geluid in beeld, veel zichtbaar gemaakt worden. Zo kan je baarmoeder, maar ook je eierstokken, in beeld gebracht worden. Je eileiders zijn meestal niet te zien omdat ze zo dun zijn. Zijn je eileiders wel te zien, dan kan dat wijzen op verdikte, mogelijk beschadigde eileiders.

In je baarmoeder kan de groei van het slijmvlies gedurende je cyclus worden gevolgd. Na de eisprong stopt het dikker worden van het slijmvlies en kun je zien dat het bloedrijker wordt en zich sterker ontwikkelt doordat het meer geluid terugkaatst en dus lichter wordt op het scherm. Voor je eisprong zelf gaat de aandacht meer uit naar je eierstokken: je kunt zien dat er met vocht gevulde blaasjes ontstaan. Het vocht weerkaatst geen geluid: je ziet dat er kleine zwarte bolletjes in beeld komen. Deze vochtblaasjes zijn de follikels (eiblaasjes) die rijpen. Hoeveel er

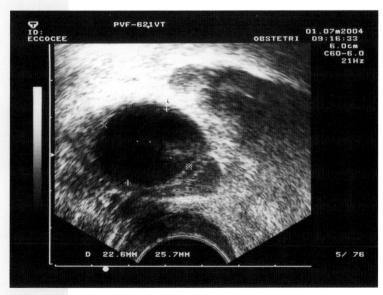

Rijpe follikel, vlak voor de eisprong

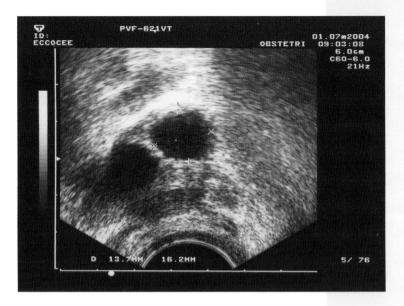

tegelijkertijd rijpen kun je tellen. De grootste (meestal één), van waaruit uiteindelijk de eisprong zal plaatsvinden, groeit uit tot ruim 2 centimeter (officieel 18 tot 24 mm). Na de eisprong sluit het zich. Is het eitje bevrucht, dan ontwikkelt het overgebleven zakje zich tot het gele lichaam dat hormonen zal produceren om de zwangerschap in stand te houden. Dit zakje kan zich weer vullen met vocht: dit wordt dan een cyste genoemd. Deze moet niet verward worden met een groeiende folli-kel (een cyste kan er, zeker voor de minder geoefende echoscopist, op de echo hetzelfde uitzien als een follikel).

Dit geeft al aan dat de echo heel frequent moet gebeuren wil je precies volgen wanneer de eisprong plaatsvindt. Bovendien moet de echo vagi-naal gedaan worden: een uitwendige echoscopie geeft een te grof beeld. Je ziet dan niet nauwkeurig genoeg alle veranderingen.

Het volgen van de eisprong door middel van echoscopie is dus vrij belastend en intensief. Aan de andere kant kan mooi in beeld gebracht worden wat er gebeurt. Daarom kan het zeker zinvol zijn.

Je eileiders en je baarmoeder

Als je weet dat je in het verleden een geslachtsziekte hebt opgelopen, een zodanige blindedarmontsteking hebt gehad dat je blindedarm is geknapt of bent geopereerd in het gebied van je baarmoeder, is het logisch om al in een vroeg stadium te controleren of je eileiders door-gankelijk zijn. Het kan namelijk zijn dat een dergelijke gebeurtenis gepaard is gegaan met een ontstekingsreactie in je bekken, waardoor

Twee kleine follikels

littekenvorming en verklevingen (*adhesies*) kunnen zijn ontstaan. Als er verklevingen zijn tussen bijvoorbeeld de darmen, de bekkenwand en de eileiders, kunnen deze laatste niet meer vrij bewegen in je buikholte. Daardoor wordt het oppikken van je eitjes na de eisprong moeilijker. Soms bedekken deze verklevingen ook de eierstokken zelf, waardoor het contact tussen zaadcellen en eicellen (en dus de bevruchting) wordt bemoeilijkt.

Ook kan het slijmvlies aan de binnenkant van je eileider(s) beschadigd zijn. Als gevolg hiervan kan een buitenbaarmoederlijke zwangerschap ontstaan.

Met behulp van de diverse onderzoeksmethoden kan je baarmoederholte worden beoordeeld op de aanwezigheid van eventuele afwijkingen en bijvoorbeeld de plaats en grootte van eventuele vleesbomen (*myomen*). Zoals eerder aangeven zijn eileiders bijzonder fijne instrumentjes. Een verstoring hiervan kan een ongunstige invloed hebben op je vruchtbaarheid. Het is echter (nog) niet mogelijk om alles aan je eileiders te onderzoeken: of de trilhaartjes hun vervoerswerk goed doen, of de fijne spierwand van de eileiders inderdaad goed functioneert. Dit is een goed voorbeeld van de beperkingen van de medische wetenschap, en mogelijk een van de redenen dat niet altijd op alle vragen een goed antwoord gegeven kan worden.

Mocht er geen reden zijn om te vermoeden dat het probleem bij je eileiders kan liggen, dan wordt het onderzoek naar de doorgankelijkheid van je eileiders meestal pas in een later stadium gedaan. Wel zal, als dat nog niet gedaan is door je huisarts, een chlamydia-antistoftiter (CAT) worden bepaald om in te schatten of je toch een groter risico hebt op beschadigde eileiders als gevolg van een doorgemaakte chlamydia-infectie.

Baarmoeder(röntgen)foto-HSG

Een regelmatig gebruikte test is een HSG (*hysterosalpingogram*). Hierbij wordt via je vagina door je baarmoedermond een contrastvloeistof in je baarmoeder gespoten. Door middel van een röntgenfoto wordt gekeken of er vloeistof door je eileider(s) je buikholte in is gelopen. Dit is het belangrijkste aspect waar naar gekeken wordt.

Als er geen vloeistof in je buikholte is gekomen kan dat komen doordat een of beide eileiders is/zijn afgesloten, hoewel dat een enkele keer ook kan gebeuren doordat de spierwand van je eileider(s) verkrampt door het onderzoek.

De vorm van je baarmoederholte en eventuele afwijkingen hierin kunnen ook (enigszins) in beeld gebracht worden. De (ervaren) onderzoeker kan bovendien een indruk krijgen van de plooiing van het slijmvlies van de eileiders.

Hystero-salpingogram (HSG)

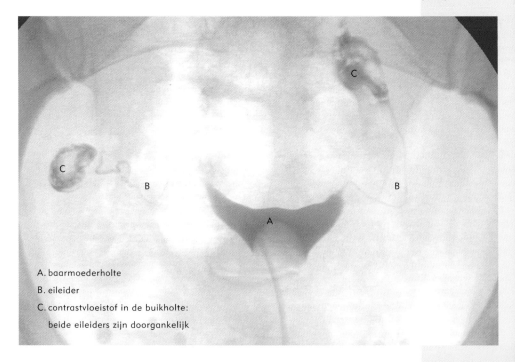

A. baarmoederholte

B. eileider

C. contrastvloeistof in de buikholte: beide eileiders zijn doorgankelijk

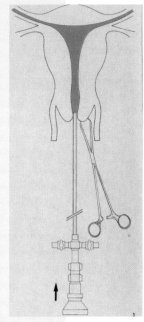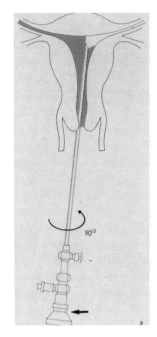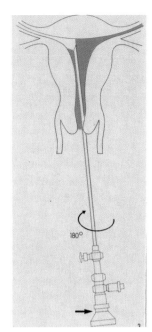

Hysteroscopie

Een HSG is een vervelend, vaak pijnlijk onderzoek. Het helpt als je tevoren een zetpil krijgt tegen de pijn. Omdat het een belastend onderzoek is en er vervolgens toch ook meestal een kijkoperatie (laparoscopie) wordt gedaan, wordt het HSG soms ook wel overgeslagen.

Sommige artsen zien een (niet bewezen) positief bijeffect van dit lastige onderzoek: door het letterlijk doorspuiten van de eileiders zouden eventuele kleine weerstanden worden verwijderd. Hierdoor zou de kans om zwanger te worden mogelijk worden vergroot.

Is er bij het HSG een vermoeden gerezen dat er afwijkingen zijn in je baarmoederholte, dan zal meestal aanvullend een hysteroscopie worden gedaan (zie aldaar).

Laparoscopie: kijken in je buik

Om nauwkeurig vast te stellen of er een probleem is met je eileiders kan er een *kijkoperatie* of *laparoscopie* worden gedaan. Dit gebeurt onder algehele verdoving.

Er wordt via een centimeter groot sneetje direct onder je navel een naald je buik in geschoven, waardoorheen koolzuurgas je buik in wordt geblazen. Hierdoor komt er ruimte in je buik en zijn organen als je baarmoeder, eileiders en eierstokken goed te onderscheiden.

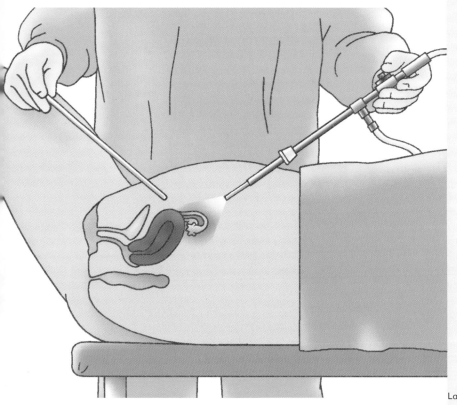

Laparoscopie

Tegenwoordig wordt niet rechtstreeks door de scoop gekeken, maar komt het beeld op een televisiescherm. Door hetzelfde sneetje wordt een kijkbuis (laparoscoop) die verbonden is met een videocamera naar binnen gebracht.

Boven je schaambeen wordt nog een klein sneetje gemaakt om met behulp van een staafje eventuele darmen die het zicht belemmeren opzij te kunnen houden.

Via je schede wordt door je baarmoedermond een blauwe vloeistof je baarmoeder ingespoten. Als je baarmoeder zo gevuld raakt met deze vloeistof en je eileiders zijn doorgankelijk, dan zal de vloeistof via je eileiders je buikholte inlopen.

Soms is één van beide eileiders afgesloten. Een enkele keer is deze afgesloten eileider gevuld met vocht: dit wordt *hydrosalpinx* genoemd. Natuurlijk is het dan erg belangrijk om te kijken hoe de andere eileider eruitziet, om aan de hand daarvan te bepalen of wel of niet geprobeerd zal worden om operatief de afsluiting te verhelpen.

Naast onderzoek naar een mogelijke afsluiting van je eileiders kan tijdens het laparoscopisch onderzoek gekeken worden of er elders verkle-

vingen zichtbaar zijn, of (en waar) er vleesbomen zijn en/of ergens endometriose aanwezig is (waarover op bladzijde 109 meer).

Hysteroscopie: kijken in je baarmoeder

Door een hysteroscoop (een kleine camera) via je schede in je baarmoeder te brengen kan de gynaecoloog rechtstreeks je baarmoederholte
bekijken en onderzoeken op afwijkingen. Dit gebeurt onder plaatselijke
verdoving.
Je kunt zelf ook meekijken: alles wordt zichtbaar gemaakt op een televisiescherm.
Zo kunnen eventuele verklevingen en ook poliepen en/of vleesbomen
worden opgespoord. Soms kunnen deze dan meteen worden verwijderd.
Soms komen er aangeboren baarmoederafwijkingen aan het licht. Een
voorbeeld hiervan is een tussenschot (*septum*) in je baarmoederholte.
Of dit soort afwijkingen invloed hebben op je vruchtbaarheid wordt
betwijfeld. Wel kunnen ze een rol spelen bij herhaalde miskramen en
vroegtijdige weeën als je eenmaal zwanger bent.
Er zijn ook microcamera's ontwikkeld die zo klein zijn dat ze door je eileiders geleid kunnen worden zodat de binnenkant van de eileiders rechtstreeks kan worden bekeken. Soms gebeurt dat tijdens de laparoscopie
vanuit de buikholte. Soms wordt de camera via je vagina en baarmoedermond je eileider ingeleid. Dit wordt dan een tuboscopie of fallopo-
scopie genoemd (*tuba Fallopii* = eileider). Zo kunnen de kleinste
afwijkingen in beeld worden gebracht.

Hysteroscopie
(tegenwoordig
wordt het
beeld veelal
geprojecteerd
op een
monitor)

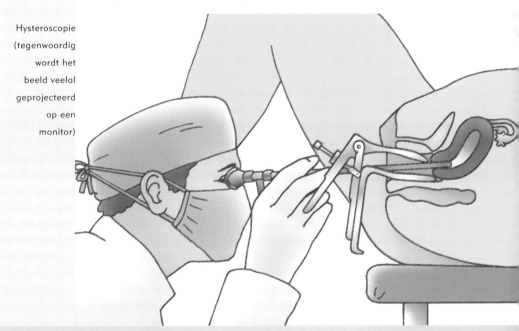

Deze laatste techniek wordt (nog) niet veel gebruikt: het vraagt erg veel ervaring van degene die dit onderzoek uitvoert. Bovendien is het niet duidelijk welke toegevoegde waarde het vinden van zulke kleine afwijkingen heeft voor het verdere beleid.

Saline infusion sonohysterography (SIS)

Zoals hiervoor al gezegd, is de echografie een waardevolle onderzoeksmethode voor het beoordelen van eierstokken en baarmoeder. Afwijkingen aan je baarmoeder*holte* zijn echter moeilijk in beeld te brengen. Daar wordt over het algemeen een HSG of hysteroscopie voor gedaan. Om toch door middel van echoscopie je baarmoederholte goed te kunnen bekijken, is er iets nieuws ontwikkeld. Hierbij wordt water in je baarmoeder gespoten middels een slangetje dat via je vagina en baarmoedermond in je baarmoeder wordt ingebracht. Dit heet SIS: *saline infusion sonohysterography*, ook wel (watercontrast)echoscopie genoemd. Omdat water geen geluid weerkaatst, maar wel de wanden van je baarmoeder (en ook je eileiders) uit elkaar duwt, kun je veel beter alle structuren bekijken.

Zo kunnen bepaalde afwijkingen aan je baarmoeder worden opgespoord, zoals myomen (vleesbomen), poliepen of een afwijkende vorm van je baarmoeder.

Het onderzoek bij de man

Sperma

Als je huisarts geen verder onderzoek heeft gedaan naar de kwaliteit van je zaad, dan zal de gynaecoloog bij jou, tegelijk met de eerste onderzoeken bij je partner, beginnen met het doen van zaadonderzoek (zie ook bladzijde 111).

Als de uitslagen van het zaadonderzoek normaal zijn, dan is het onderzoek bij jou gauw klaar.

Wel kan, naast boordeling van de hoeveelheid sperma en de aantallen, vorm en beweeglijkheid van de zaadcellen ook nog gezocht worden naar antilichamen gericht tegen je eigen sperma (MAR-test). Deze kunnen aanwezig zijn als gevolg van sterilisatie; ze blijven aanwezig na een hersteloperatie. Ook kunnen ze zijn ontstaan als gevolg van bijvoorbeeld een eerdere ontsteking van de zaadballen. Als deze antistoffen in grote hoeveelheden aanwezig zijn, kan dat een verminderde vruchtbaarheid tot gevolg hebben.

Wat betreft de behandelingsmogelijkheden tegen deze antistoffen: die zijn er niet. Als je langdurig ontstekingsremmers gebruikt (corticosteroïden) heeft dat wel enig effect, maar de bijwerkingen zijn zo vervelend dat tegenwoordig meestal gekozen wordt voor IUI. Als er te weinig zaadcellen zijn voor IUI, kan worden gekozen voor IVF of ICSI.

Voorgeschiedenis

Is je sperma afwijkend, dan zullen de (inmiddels) bekende vragen gesteld worden: is je bekend of er afwijkingen zijn aan je penis/zaadballen? Heb je ooit infectieziekten gehad als de bof, een geslachtsziekte of herhaaldelijke blaasontstekingen? Zijn je penis en/of zaadballen ooit beschadigd geweest door bijvoorbeeld een ongeluk, of ben je ooit in dat gebied geopereerd (denk aan een liesbreuk)? Heb je ooit chemotherapie gehad of ben je ooit aan straling blootgesteld geweest? Rook je? Hoe zit het met alcohol-, drugs- en medicijngebruik?
Speelt er iets erfelijks in de familie (als cystische fibrose, zie de volgende paragraaf)?
Ook stress (blijkt uit onderzoek) heeft een negatieve invloed en ook het vak dat je uitoefent kan een rol spelen. Denk aan bijvoorbeeld het werken met bestrijdingsmiddelen, maar ook het beroep lasser heeft zo z'n risico's vanwege de hoge temperaturen.

Lichamelijk onderzoek

Natuurlijk zal de gynaecoloog of uroloog ook een lichamelijk onderzoek bij je doen. De aandacht zal dan vooral uitgaan naar je penis en zaadballen.
Een *echoscopie* zal worden verricht als er duidelijk verschil is in grootte van je zaadballen. Eventueel kan bij rectale echoscopie (via je anus) naar je prostaat gekeken worden. Dit gebeurt alleen als er aanleiding is om te vermoeden dat je zaadleider afgesloten wordt door bijvoorbeeld je prostaat.
Spataderen in je balzak (*varicocèle*) kunnen het best vastgesteld worden met een kleuren-doppler-echoscopie. Hiermee kan stroming van het bloed in beeld gebracht worden en daarmee ook de kluwen spataderen, mochten die er zijn. Of dit evenwel van betekenis is voor je vruchtbaarheid wordt betwijfeld. Deze onderzoeken worden in principe door de uroloog gedaan.
Een enkele keer blijkt je zaad niet via je prostaat door je urineleider naar buiten te komen, maar geheel of gedeeltelijk je blaas in te lopen. Dit heet *retrograde ejaculatie*. Het kan vrij gemakkelijk worden vastgesteld: kort nadat je bent klaargekomen moet je urine worden nagekeken. Wordt hierin zaad aangetroffen dan heb je last van deze retrograde ejaculatie.

Bloedonderzoek

Niet alleen vrouwen, maar ook mannen maken het hormoon FSH aan.
Dit FSH stimuleert de aanmaak van je zaadcellen. Als je weinig of geen
zaadcellen aanmaakt zal je lichaam zijn best doen om het toch voor
elkaar te krijgen door nog meer FSH aan te maken. Het FSH-gehalte in je
bloed is dan dus verhoogd.
Naast het bepalen van het hormoon FSH kan ook het niveau prolactine
en testosteron bepaald worden. Ook deze hormonen zijn graadmeters
om een indruk te krijgen of de zaadproductie al dan niet verstoord is.

Genetisch onderzoek

Als er extreem weinig of geen zaadcellen aanwezig zijn (*azoöspermie*)
zal er *genetisch onderzoek* bij je worden gedaan. Hierbij wordt gekeken
of er misschien sprake is van een chromosomale afwijking. Het kan bijvoorbeeld zijn dat er bij jou geen zaadleiders zijn aangelegd als je drager
bent van de erfelijke ziekte *cystische fibrose* (taaislijmziekte).
Andere chromosomale oorzaken van azoöspermie zijn het Klinefeltersyn-
droom (waarbij je een vrouwelijk geslachtschromosoom te veel hebt:
XXY) en microdeleties op het Y-chromosoom. Hierbij zijn heel kleine
afwijkingen te vinden aan het Y-chromosoom zelf. Bij het Klinefeltersyn-
droom blijkt overigens het FSH in je bloed ook verhoogd te zijn. Je zaadballen zijn dan klein en het mannelijk hormoon (testosteron) in je bloed
is laag. Bij microdeleties op het Y-chromosoom is het FSH-gehalte meestal normaal.
Het genetisch onderzoek is vooral van belang als jullie uiteindelijk toch
willen kiezen voor (een poging tot) bevruchting met je eigen zaad als dat
slecht van kwaliteit is.

7

Oorzaken van vruchtbaarheidsproblemen

Geen eisprong

Bij paren die bij een arts komen met een onvervulde kinderwens wordt in circa een kwart van de gevallen (20–25%) vastgesteld dat er geen eisprong plaatsvindt. Zoals eerder al gezegd, heb je al reden om te vermoeden dat je geen eisprong hebt wanneer je menstruatiecyclus sterk afwijkend is.

De oorzaak van het uitblijven van je eisprong is in veel gevallen het *polycysteus ovariumsyndroom* (*PCOS*). Daarnaast kunnen stress, overgewicht, (extreme) gewichtsdaling of langdurige forse lichamelijke inspanning (topsport bijvoorbeeld) de reden zijn dat je eisprong uitblijft. Net als bij PCOS is dat goed te behandelen. De eisprong is met medicatie in het algemeen goed op te wekken. Soms is het enigszins op peil brengen van je gewicht, of wat afleiding en rust (vakantie!) al voldoende.

Polycysteus ovariumsyndroom (PCOS)

De meest voorkomende oorzaak van verminderde vruchtbaarheid is het polycysteus ovariumsyndroom (PCOS). 5 tot 10% van alle vrouwen lijdt in enigerlei mate aan dit syndroom. Anders bekeken: het grootste deel van de vrouwen die graag zwanger willen worden maar geen eisprong hebben, blijkt aan dit syndroom te lijden.

Het lastige bij het 'stempel' c.q. de diagnose PCOS is dat er verschillende ideeën zijn wat het syndroom eigenlijk inhoudt en hoe het zich presenteert. Zo is overgewicht een belangrijk element, maar je kunt ook ondergewicht hebben. Uiteindelijk is PCOS een verzamelnaam voor een gevarieerd beeld waar veel vrouwen aan voldoen. Je menstrueert hierbij minder vaak, je hebt subtiele hormoonafwijkingen en er ontstaat een typisch echoscopisch beeld zoals verderop staat beschreven.

Wat gebeurt er bij PCOS?

Bij PCOS zijn je hormoonspiegels verstoord. Je maakt te veel LH (hormoon dat de eisprong stimuleert), te veel suikerregulerend hormoon (insuline) en soms te veel mannelijke hormonen (androgenen).

Om preciezer te zijn: de hormonen FSH en LH in je lichaam zijn uit balans. De sterke aanmaak van LH kan er soms voor zorgen dat een ovulatietest die het LH in je urine meet om je eisprong te voorspellen een onjuiste, positieve, uitslag geeft. Zo'n test kan dan een verhoogde waarde van het LH aangeven terwijl je in werkelijkheid geen eisprong hebt.

Het verhoogde LH beïnvloedt de productie van mannelijke hormonen (androgenen) in je eierstokken. Je maakt er te veel van aan.

Vaak ben je ook ongevoeliger voor het suikerregulerend hormoon insuline. Daardoor maak je te veel insuline aan en worden je suikers niet goed verwerkt. Het teveel aan insuline remt ook een levereiwit dat normaal mannelijke hormonen bindt en minder actief maakt. Een gevolg daarvan is dat er te veel androgenen in je lichaam werkzaam kunnen blijven.

Het effect van de verstoring van je FSH/LH-balans, maar soms ook het teveel aan mannelijke hormonen, is dat er in je eierstokken geen enkel eiblaasje (follikel) goed uitrijpt tot een dominant eiblaasje van ruim 2 cm dat uiteindelijk tot een eisprong zal komen. Ze blijven allemaal hangen op een grootte van 6 tot 8 mm. Bij een echoscopie is dan ook een beeld te zien dat typisch is voor PCOS: langs de wand van je eierstokken zie je vele cysten: dit zijn de met vocht gevulde onrijpe eiblaasjes die niet of onregelmatig groeien. Dit wordt ook wel het *rozenkransfenomeen* genoemd. Je kunt wel af en toe een eisprong hebben. Sommige vrouwen met PCOS kunnen zelfs wel 8 keer per jaar een eisprong krijgen (wat toch duidelijk minder vaak is dan bij een ongestoorde cyclusfrequentie waarbij je gemiddeld 13 maal per jaar menstrueert).

Wat merk je er zelf van?

Meestal heb je een heel erg onregelmatige menstruatie: soms blijft deze zelfs helemaal uit. Ook kun je, doordat je meer mannelijke hormonen hebt, last hebben van overbeharing of juist kaalheid. Je huid kan een heel enkele keer pigmentvlekken vertonen. Je kunt ook last hebben van suikerziekte en/of vetzucht.

Ongeveer de helft van de vrouwen met PCOS heeft last van overgewicht. Heb je overgewicht, dan heeft dat een extra ongunstig effect op je suikerspiegel en je bloeddruk.

Het is belangrijk dat de diagnose goed wordt gesteld: los van je onvervulde kinderwens kan PCOS ook slecht voor je gezondheid zijn. Onafhankelijk van het feit of je overgewicht hebt of niet heb je bij PCOS een iets hogere kans op suikerziekte en een licht verhoogde kans op hart- en vaatziekten.

Er is nog een aspect van PCOS dat de aandacht verdient. Doordat er zelden een eisprong plaatsvindt, maak je nauwelijks progesteron aan. Progesteron wordt immers gemaakt door het gele lichaam in je eierstok dat overblijft na de eisprong. Daardoor is het baarmoederslijmvlies vaak te dik. Als dit lang aanhoudt ontwikkel je op den duur een verhoogd risico (al is dit risico nog steeds laag) op baarmoederkanker. Als je niet zwanger wilt worden is dit te voorkomen door regelmatig een menstruatie op te wekken door bijvoorbeeld de pil te slikken.

Erfelijkheid kan een rol spelen bij PCOS. Als je ook nog overgewicht hebt verhoogt het je kans op PCOS nog meer. Is een man erfelijk belast, dan kan dat zich uiten doordat hij al op heel jeugdige leeftijd kaal wordt.

Ben je eenmaal zwanger, dan heb je bij PCOS een verhoogde kans op een miskraam: 20 tot 40% (in plaats van de 15% die de doorsnee zwangere heeft op een miskraam).

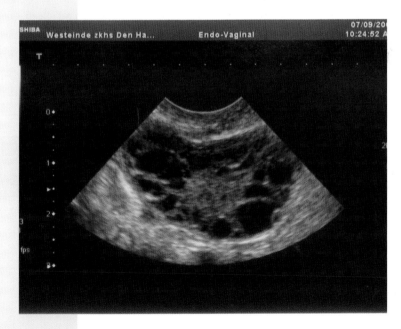

Echobeeld
bij PCOS

Als je behoort tot de categorie vrouwen met PCOS én overgewicht, *lijkt* de oplossing voor je verminderde vruchtbaarheid vrij simpel: je hoeft 'maar' enkele (5 tot 10) kilo's af te vallen; dat kan al genoeg zijn om een goede cyclus op gang te brengen.

Als je echt zorgt voor een gezonde levenswijze (waaronder niet roken), de kilo's eraf krijgt, je dieet goed weet te veranderen en zo nodig medicijnen gebruikt,

> **Het goede nieuws als je PCOS hebt: je hebt 80 tot 90% kans dat je zwanger kunt worden met behulp van medisch ingrijpen of advies: bij overgewicht kan 5 tot 10 kilo afvallen al voldoende zijn om je eisprong te herstellen.**

daalt ook je kans op suikerziekte en hart- en vaatziekten aanzienlijk. Het is goed om hier toch even bij stil te staan, al lijkt het een open deur: goede zorg voor je lichaam is beslist de moeite waard.

Andere oorzaken van het uitblijven van de eisprong

Overproductie van prolactine

Een enkele keer kan het voorkomen dat je geen eisprong hebt doordat je te veel van het hormoon prolactine aanmaakt. Van dit hormoon maak je ook meer aan als je borstvoeding geeft – het stimuleert dan de aanmaak van melk door de melkklieren.

Een verhoogde productie van dit hormoon (ook wel *hyperprolactinemie* genoemd) kan veroorzaakt worden door het gebruik van bepaalde medicijnen, zoals bijvoorbeeld middelen tegen een hoge bloeddruk, antidepressiva en middelen tegen braken. Het kan ook gebeuren als gevolg van een te trage schildklierwerking.

Een andere oorzaak kan een (klein) goedaardig gezwel aan je hypofyse zijn, een *prolactinoom*: als er een vermoeden bestaat dat dat aan de orde is, zal er een scan worden gemaakt van je hersenen. Over het algemeen is een prolactinoom goed te behandelen met medicijnen. Die medicijnen zullen tegelijkertijd de productie van prolactine afremmen, waardoor de kans groot is dat er in je cyclus weer een eisprong zal plaatsvinden.

Vroegtijdige overgang
(prematuur ovarieel falen – POF)

Je hebt (1%) kans dat je geen eisprong hebt omdat je vervroegd in de
overgang bent gekomen. Vervroegd wil zeggen vóór je veertigste levensjaar. Dan heb je óf geen eicellen meer, zoals in de 'gewone' overgang,
óf je hebt nog wel eicellen, maar ze reageren niet op de normale stimulatie vanuit de hersenen. Een klein beetje hoop kun je houden door het
feit dat de eierstokken meestal niet helemaal stilliggen. Een heel enkele
keer vindt er toch nog een eisprong plaats, waardoor je nog een kleine
(5–10%) kans hebt op een zwangerschap.

Bij bloedonderzoek valt op dat je een lage oestrogeenspiegel hebt. Als
reactie hierop stijgen de waarden van de gonadotrofinen FSH en LH in je
bloed tot waarden die normaal gesproken pas bij oudere vrouwen worden aangetroffen. Door de lage hoeveelheid oestrogenen kan je menstruatie uit gaan blijven en kun je klachten krijgen als opvliegers en
nachtzweten. Ook vaginale klachten als branderigheid en droogheid
evenals pijn bij vrijen kan een effect zijn van het oestrogeentekort. Deze
symptomen kunnen wisselend optreden en staan lang niet altijd op de
voorgrond.

Negen van de tien keer wordt geen duidelijke oorzaak gevonden bij een
vervroegde overgang. Een enkele keer is er sprake van een auto-
immuunreactie: je maakt antistoffen tegen je eigen eierstokweefsel. Het
kan ook optreden als gevolg van eerdere chemotherapie, bestraling of
operaties in het gebied van je eierstokken. Heel zelden kan het zijn dat
je een chromosomale afwijking hebt als het *Turnersyndroom*, waarbij
één van beide X-chromosomen geheel of gedeeltelijk ontbreekt. Ook
vrouwen die draagster zijn van de zogenaamde *fragiele-X* premutatie
kunnen een vroege overgang ontwikkelen. Deze vrouwen zijn verder
helemaal gezond, maar hebben een verhoogde kans op het krijgen van
een kind met een verstandelijke handicap (meestal een jongetje).
Bij een op de tien vrouwen met een vroegtijdige overgang, komt dit
vaker voor in de familie. Wees er dus alert op als je van
moeder/tantes/zussen hoort dat ze er last van hebben (gehad).

Ook wanneer je eierstokken niet helemaal stilliggen, is het toch meestal
niet zinvol om een behandeling te starten met bijvoorbeeld hormonen
om je eisprong te stimuleren. Wel moet je, omdat je hormonen al op zo
jonge leeftijd tekortschieten, veelal extra hormonen innemen om
osteoporose (botontkalking) te voorkomen.
Als blijkt dat je eierstokken niet (kunnen) reageren op stimulatie door
middel van medicijnen, is de enige mogelijkheid om je te helpen rea-

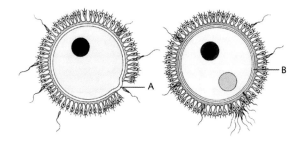

Bevruchting

A. Bij de bevruchting wordt de eicel door een groot aantal zaadcellen belaagd.

B. Zodra één zaadcel de eicel is binnengedrongen, ontstaat onmiddellijk aan de buitenzijde van de eicel de bevruchtingsmembraan. Deze voorkomt dat nog een zaadcel de eicel kan bevruchten. In de eicel is nu ook de kern van de zaadcel te zien. Deze versmelt later met de kern van de eicel.

geerbuisbevruchting met een eicel van een andere vrouw, een donor. Met daarbij vanzelfsprekend de nodige substitutie van hormonen.

Chemotherapie en radiotherapie

Het komt nog wel eens voor dat iemand voor het 20ste levensjaar behandeld is voor kanker: naar schatting één op de duizend kinderen. Gelukkig geneest tweederde van de patiënten van deze ziekte.

Als je bent behandeld kan, afhankelijk van de soort chemotherapie, jaren later je eierstokfunctie toch nog herstellen en kan ook je menstruatie weer op gang komen. Hoe jonger je was, des te beter je vooruitzichten hierop. Vanzelfsprekend is ook de gebruikte hoeveelheid van het medicament van invloed op de mogelijkheid van herstel van je eierstokken. Toch is niet goed te voorspellen bij wie uiteindelijk de eierstokken (enigszins) kunnen herstellen en bij wie niet – daarvoor zijn te weinig exacte getallen voorhanden.

Zo blijkt 12–46% van de vrouwen die voor de ziekte van Hodgkin (lymfklierkanker) behandeld zijn vroegtijdig in de overgang te raken. Aan de andere kant gaf een recente studie aan dat van de relatief jonge vrouwen (met een gemiddelde leeftijd van 42 jaar) die werden behandeld voor borstkanker en die chemotherapie kregen én bestraald werden, velen (86%) binnen een jaar weer menstrueerden.

Bij radiotherapie (bestraling) van je baarmoeder en/of eierstokken worden je eicellen meestal onherstelbaar beschadigd. Daarnaast heeft het, zeker als je jong bent, een slechte invloed op de groei en doorbloeding van je baarmoeder(slijmvlies).

Kun je je vruchtbaarheid beschermen?

Natuurlijk wordt er gezocht naar een oplossing om jonge vrouwen die kanker hebben te behoeden voor toekomstige ongewenste kinderloosheid. Het is jammer genoeg nog onmogelijk om onbevruchte rijpe eicellen veilig in te vriezen: de techniek is blijkbaar nog niet goed genoeg om de eicel na ontdooiing zijn (volledige) functie en mogelijkheden terug te geven. Wel wordt er op het ogenblik onderzoek gedaan naar de mogelijkheid om (stukjes) eierstokweefsel in te vriezen voor later gebruik. De bedoeling is dan om in de toekomst deze zeer onrijpe eicellen verder in het laboratorium tot ontwikkeling te laten komen. De rijpe eicellen kunnen vervolgens door middel van IVF bevrucht worden.

Inmiddels is de eerste zwangerschap gemeld na transplantatie van eierstokweefsel. Bij een vrouw die behandeld zou worden voor lymfklierkanker, is weefsel van de eierstokken weggehaald en ingevroren. Dit weefsel is teruggeplaatst nadat zij genezen is verklaard. Bij haar had dit uiteindelijk een spontane zwangerschap tot gevolg.

Als je op dit moment weet dat je eierstokken gevaar lopen en je een partner hebt waar je in de toekomst kinderen mee wilt krijgen, zou je kunnen overwegen om via een IVF-procedure embryo's in te vriezen. Dan heb je wellicht een kans om later alsnog zwanger te worden.

Een optie is ook om de werking van je eierstokken volledig stil te leggen met behulp van hormonen (GNRH-antagonisten of de anticonceptiepil). Zo wordt geprobeerd om beschadiging te voorkomen. Helaas lijkt het vooralsnog niet erg effectief om op deze manier je eierstokken te beschermen.

Je eierstokken kunnen ook vóór de start van de bestralingsbehandelingen operatief worden verplaatst naar een gebied dat niet wordt bestraald. Deze mogelijkheden om je vruchtbaarheid te beschermen zijn nog vrij experimenteel: goede cijfers over het effect hiervan ontbreken nog.

Een mogelijkheid om zwanger te worden als je eierstokken niet meer goed werken is als je een eicel van een andere vrouw kunt krijgen (eiceldonatie – zie bladzijde 161). Soms kun je zelfs een embryo krijgen van een ander paar dat met IVF bezig was en dit embryo zelf niet meer wil gebruiken.

Chemotherapie en bestraling bij de man

Net als eicellen, zijn zaadcellen ook erg kwetsbaar. Als je als man voor kanker behandeld zult moeten worden met in het bijzonder chemotherapie, dan kun je van tevoren zaad laten invriezen. Als je bestraald moet worden, kunnen je zaadballen meestal wel beschermd worden tegen de straling omdat ze buiten je lichaam zitten.

Afwijkingen aan eileiders en baarmoeder

Verklevingen (adhesies)

Zoals eerder gesteld kunnen verklevingen ontstaan door de littekenvorming als gevolg van ontstekingen. Dit kan een infectie zijn, bijvoorbeeld chlamydia. Het kan ook een reactie zijn op een operatie in je bekken. Ook een doorgebroken blindedarmontsteking (*geperforeerde appendicitis*) is een beruchte oorzaak. Bovendien kan endometriose (zie verder) de oorzaak zijn van adhesies.

Met de IVF-techniek kun je de eileiders direct omzeilen. Deze behandeling heeft niet de voorkeur bij jongere vrouwen bij wie beschadigde eileiders de enige belemmering vormen om zwanger te worden. Er wordt dan getracht het probleem operatief te verhelpen. Lukt dit, dan is de winst groot: verdere vruchtbaarheidsbehandelingen zijn in de toekomst dan niet meer nodig.

Helaas is het lang niet in alle gevallen mogelijk om eileiders operatief te herstellen.

Als het na de operatie lukt om spontaan zwanger te worden, houd je altijd nog een verhoogde kans op een (kansloze) buitenbaarmoederlijke zwangerschap.

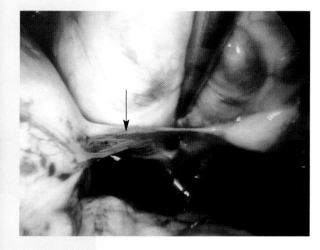

Verkleving tussen twee eierstokken

Endometriose

Het slijmvlies van je baarmoeder heet in medische termen *endometrium*. Onder invloed van je hormonen ontwikkelt dit zich gedurende je cyclus en wordt weer (grotendeels) afgestoten tijdens je menstruatie.

Dit endometrium blijkt wel eens op meer plaatsen te zitten dan alleen aan de binnenkant van je baarmoeder. Dit kan worden ontdekt middels laparoscopie. Zo kan het op je buikvlies, in je darmen (met name je endeldarm) en ook als cysten in je eierstokken zitten. Dit heet *endometriose*. Ook dit baarmoederslijmvlies, dat op deze 'vreemde' plaatsen zit, doet mee aan je menstruatiecyclus.

Het bloed dat hierbij vrijkomt kan niet altijd makkelijk weg. Als de endometriose in je eierstokken zit, vullen de endometriosecysten zich met bloed. Uiteindelijk wordt de vloeistof in deze cysten donkerbruin: vandaar dat ze ook wel chocoladecysten worden genoemd. Soms wordt het bloed toch nog opgenomen door de eierstokken, maar soms ook niet. De cysten groeien dan flink en kunnen uiteindelijk knappen.

De klachten die je kunt krijgen als je endometriose hebt zijn buikpijn, flinke pijn bij je menstruatie (*dysmenorrhoe*) en pijn bij het vrijen (*dyspareunie*). Als het baarmoederslijmvlies in het spierweefsel zit van je baarmoeder (dit wordt *adenomyose* genoemd) kan dit ertoe leiden dat je tijdens je menstruatie extreem veel vloeit: het kan zelfs zijn dat de ene menstruatie zo lang duurt dat deze in de andere overgaat.

Niet alle gevallen van endometriose leiden tot klachten. Men denkt zelfs dat bij heel veel vruchtbare vrouwen een lichte mate van endometriose voorkomt. Endometriose als ziektebeeld komt veel minder voor (onbekend is hoe vaak).

Dit 'verdwaalde' baarmoederslijmvlies kan verklevingen veroorzaken doordat er littekenweefsel ontstaat. Als er veel verklevingen zijn ontstaan, kan dat een belemmering voor je betekenen om zwanger te raken.

Problemen rondom de zaadcellen

Negatieve samenlevingstest (cervixfactor)

Als uit de samenlevingstest blijkt dat de zaadjes, nadat jullie hebben gevreeën, niet overleven in het slijm van de baarmoedermond, kan dat mogelijk komen doordat het slijm te zuur is of dat er antistoffen tegen het sperma zijn. Dit wordt ook wel de *baarmoedermondfactor* ofwel de *cervixfactor* genoemd. Hierdoor is er voor de zaadjes geen goed milieu om te overleven. En dat terwijl het baarmoederhalsslijm in de vruchtbare periode juist als transportmiddel en voedselreserve voor de zaadcellen hoort te dienen.

Als je vagina een te hoge zuurgraad heeft, kan je arts voorstellen om eerst een paar cycli je schede te spoelen met een niet-zure vloeistof. Dit moet je dan 1 tot 4 uur voor je gemeenschap hebt doen om te proberen de overlevingskansen voor het zaad te vergroten.

Tegenwoordig wordt dit echter weinig meer gedaan. Vaak wordt bij een slechte uitslag van de samenlevingstest voorgesteld om direct het 'obstakel' baarmoedermond te omzeilen door het zaad (nadat het op het laboratorium is voorbewerkt) rechtstreeks hoog in de baarmoeder te brengen door middel van inseminatie (dit wordt *intra-uteriene inseminatie* oftewel *IUI* genoemd).

De meeste onderzoeken hebben daarentegen aangetoond dat bij alleen een negatieve samenlevingstest IUI niet helpt. Er is discussie of de samenlevingstest überhaupt wel zinvol is. Sommigen menen dat, bij een negatieve test, je moet overgaan op actieve vruchtbaarheidsbehandelingen. Anderen beweren dat een negatieve test niets zegt en alleen maar leidt tot meer behandelingen en niet tot meer zwangerschappen.

Er is één goed opgezet onderzoek verricht naar het nut van de samenlevingstest; daaruit is gebleken dat ongewenst kinderloze paren die deze test hebben ondergaan niet eerder en/of vaker zwanger werden dan paren die deze test niet ondergingen.

Een verstoorde zaadproductie
van hormonale aard

Je hypofyse doet zijn werk niet goed

Testosteron is het mannelijk hormoon dat wordt aangemaakt door je
zaadballen. In de meeste gevallen is ook bij een verstoorde zaadproductie het testosterongehalte in je lichaam normaal. Als dat niet zo blijkt te
zijn, moet de oorzaak van je verminderde vruchtbaarheid hogerop worden gezocht: het probleem kan gelokaliseerd zijn in je hypofyse, of nog
een fase eerder: in je hypothalamus. In je hypofyse worden het LH (luteïniserend hormoon) en het FSH (follikelstimulerend hormoon) aangemaakt, die je zaadballen aanzetten tot de productie van testosteron en
zaadcellen. De productie van testosteron daalt als er onvoldoende LH
vrijkomt, doordat je hypofyse niet goed functioneert of onvoldoende
wordt gestimuleerd door je hypothalamus. Dat kun je vaak zelf ook merken in je seksuele leven, bijvoorbeeld omdat je minder zin hebt in seks.

Overproductie van prolactine

Soms wordt in je bloed een te hoog prolactinegehalte gevonden. Dit kan
bijvoorbeeld optreden als bijwerking van bepaalde medicijnen, of bij een
te trage schildklierwerking. Ook kan de oorzaak in de hypofyse zelf gelegen zijn.
Als gevolg van deze hoge waarde van het prolactine kan het gebeuren
dat de aanmaak van FSH (zie boven) in je hypofyse is verstoord. Aldus
kan een te hoog prolactine (indirect) de oorzaak zijn van slecht zaad.

Belemmerd zaadtransport

Als er in je sperma weinig of geen zaadcellen zitten, hoeft dat niet per se
het gevolg te zijn van een onvoldoende of ontbrekende aanmaak van
zaadcellen. Het kan zijn dat je zaadballen wel goed functioneren: ze
zien er normaal uit en je hormonale waarden wijken niet af. In dat geval
kan er sprake zijn van een aanlegstoornis van je zaadleiders, of een
slechte doorgankelijkheid door een eerdere sterilisatie of ernstige infectie.

Afsluiting door infectie of sterilisatie

Natuurlijk wordt al in het begin van het traject 'vruchtbaarheidsonder-
zoeken' het thema geslachtsziekten aangesneden. Kweken worden afgenomen en bloedonderzoek wordt gedaan. Toch kan het bij het

zaadonderzoek opvallen dat er veel witte bloedlichaampjes (leukocyten) te zien zijn. Deze witte bloedlichaampjes hebben onder andere tot taak om infecties te bestrijden. Als er inderdaad sprake lijkt te zijn van een chronische infectie, dan kan dat je zaadleiders of je bijballen ernstig beschadigen door littekenvorming. Je krijgt dan een antibioticakuur van ten minste 10 dagen voorgeschreven. Of het (nog) zin heeft, is een tweede: de resultaten zijn niet hoopgevend. Toch is er de overtuiging dat de infectie, zeker als er sprake is van een geslachtsziekte, in ieder geval bestreden moet worden.

Uiteraard kan het ook zijn dat je zaadleiders zijn afgesloten door een eerdere sterilisatie.

Als er sprake is van een afsluiting door littekenweefsel of sterilisatie, kan geprobeerd worden die operatief ongedaan te maken.

Retrograde ejaculatie

Wanneer je weinig of geen sperma produceert als je klaarkomt, kan het zijn dat het sperma naar achteren je blaas inloopt in plaats van door je plasbuis naar buiten te komen. Dit verschijnsel wordt *retrograde ejaculatie* genoemd en wordt veroorzaakt door een verstoring van de afsluitreflex van je blaashals tijdens het klaarkomen. Het kan zich voordoen als bijwerking van bepaalde medicijnen of als gevolg van een blaas- en/of prostaatoperatie. Een enkele keer ontstaat het als gevolg van suikerziekte en/of MS (multiple sclerose).

Aanlegstoornis van plasbuis of zaadleiders

Het kan ook zijn dat je zaad door een aanlegstoornis niet goed met het klaarkomen op de juiste plaats kan worden gebracht. Dat gebeurt bijvoorbeeld als je plasbuis niet aan het einde van je penis uitmondt maar bijvoorbeeld halverwege of helemaal onderaan (*hypospadie*).

Een andere mogelijkheid is dat je zaadleiders geheel ontbreken door een aangeboren afwijking of als uitingsvorm van de erfelijke aandoening *cystische fibrose* (taaislijmziekte).

Door de sterke toename en ontwikkeling van vruchtbaarheidsbehandelingen, maar ook door de gemiddeld oudere leeftijd waarop vrouwen hun kinderen baren, worden er veel meer (tweeeïge) tweelingen geboren dan vroeger

8

Behandelingsmogelijk- heden bij verminderde vruchtbaarheid

Het opwekken van de eisprong

De eisprong kan in veel gevallen met behulp van medicijnen worden opgewekt. Wel is het helaas weer zo dat hoe ouder je bent, hoe minder kans op succes. Als je de 35 gepasseerd bent neemt de kans dat de behandeling slaagt steeds sterker af.

Geneesmiddelen die de eisprong stimuleren

Clomifeencitraat

Het meest gebruikte geneesmiddel is het hormoon clomifeencitraat (bekend onder de merknamen Clomid en Serophene). Zo kan 8 op de 10 keer een normale eisprong worden verkregen. Voor bijna de helft van de vrouwen zonder eisprong is dit voldoende om zwanger te worden.

Dit geneesmiddel heeft weinig bijwerkingen. Een enkele keer heeft het een negatief effect op de doorgankelijkheid van het slijm van je baarmoedermond. Daarom wordt de samenlevingstest (PCT) nog wel eens herhaald tijdens de behandeling met clomifeen.

De kans dat je zwanger wordt van een meerling tijdens behandeling met clomifeen is 7%.

> **Een meerling lijkt misschien leuk: na al die jaren twee voor de prijs van één. Sta er wel bij stil dat het er drie of meer kunnen worden. Bovendien geeft een meerlingzwangerschap ook beslist meer kans op complicaties.**

Clomifeen krijg je eerst in een lage dosering, elke keer 5 dagen lang in het begin van je cyclus. Zo nodig kan de dosering per cyclus worden verhoogd om te proberen een eisprong op te wekken. Lukt dat en ben je na 6 behandelingen nog steeds niet zwanger, dan is het niet zinvol meer om door te gaan op deze lijn. Mogelijk dat je ongevoelig bent voor clomifeen: er zal dan worden overgestapt op andere medicijnen.

Clomifeen-metformine

Vooral bij vrouwen met PCOS is er reden om te vermoeden dat er sprake kan zijn van een verstoring van de suikerstofwisseling. Er bestaat een goede test om te bekijken bij wie PCOS samen gaat met problemen met de suikerstofwisseling en bij wie niet.

Nu bestaat er een middel, *metformine*, dat gebruikt wordt door mensen met suikerziekte: hiervoor is dit geneesmiddel dan ook officieel geregistreerd. *Metformine* remt je lever om suiker (glucose) aan te maken. Bovendien wordt de opname van glucose door je darmen geremd. Gebleken is dat metformine ook een heel gunstig effect kan hebben op de problemen die ontstaan bij PCOS als dit samengaat met problemen met je suikerstofwisseling. In dat geval kan dit medicijn gebruikt worden, met als uiteindelijk doel dat je eierstokken minder mannelijke hormonen gaan produceren en je een eisprong kunt krijgen.

Uit onderzoek naar de werking van metformine blijkt dat het effect van deze medicatie tweeledig kan zijn. Zoals aangegeven heeft het een gunstig effect bij afwijkende insulinespiegels, maar het kan je ook helpen in je strijd tegen overgewicht (als je BMI hoger dan 27 is). Metformine kun je namelijk gebruiken in plaats van eetlustremmers: het heeft een even sterk effect. Heb je last van obesitas bij PCOS, dan is afvallen eigenlijk het effectiefst om je kans te vergroten om zwanger te worden. Bedenk wel dat het gebruik van metformine alleen niet voldoende is: dieet en beweging zijn effectiever.

Bijwerkingen heeft dit medicijn ook: omdat het invloed heeft op de werking van je darmen kun je je voorstellen dat het diarree en buikklachten kan veroorzaken, en klachten als misselijkheid en braken. Ook een vitamine B12-tekort kan ontstaan, maar zelden zodanig dat je bloedarmoede krijgt.

Behandeling met clomifeen om een eisprong op te wekken is een goede eerste keus. Als clomifeen alleen niet voldoende effect heeft, dan heeft de combinatie met metformine soms meer effect. Er wordt op dit moment onderzocht wanneer en voor wie metformine een goede behandeling is.

Gonadotrofinen

Als je geen eisprong hebt, kan deze ook worden opgewekt door dagelijkse injecties met andere hormonen: gonadotrofinen. Het FSH is zo'n hormoon. Het zit, net als het hormoon LH, in het HMG (*humaan menopauzaal gonadotrofine*) dat al sinds 1961 uit de urine kan worden gehaald van vrouwen die voorbij de overgang zijn. Gezuiverd FSH kan sinds 1981 uit urine worden gehaald en sinds 1996 ook heel zuiver kunstmatig worden verkregen (recombinant FSH). Dit hormoon stimuleert de ontwikkeling van eicellen.

De hoeveelheid FSH die je toegediend krijgt steekt erg nauw, omdat het een sterk direct effect heeft op je eierstokken. Je hypothalamus en je hypofyse worden buitenspel gezet en kunnen dus niet corrigerend werken. Zo ontstaan er soms te veel bijna-rijpe eitjes.

Dit moet dus zo goed mogelijk in de hand worden gehouden, en dat maakt deze behandeling erg intensief en belastend. Je krijgt een hele serie dagelijkse injecties, waarbij de groei van de eiblaasjes heel regelmatig echografisch gevolgd zal moeten worden. Hierbij zal er ook op gelet worden of er niet tegelijk meerdere eiblaasjes springen. Ook door het bepalen van de hoeveelheid oestradiol (in je bloed), dat immers gemaakt wordt door de rijpende eitjes, wordt een indruk gekregen van het aantal rijpende eicellen. De groei van je baarmoederslijmvlies kan bovendien echografisch worden bekeken om het effect van de toegediende hormonen te volgen.

Als de eicel rijp genoeg is, zul je het hormoon HCG (*humaan choriongonadotrofine*) toegediend krijgen om de eisprong te laten plaatsvinden (HCG wordt verkregen uit de urine van zwangere vrouwen).

Rijpen er te veel eicellen tegelijk, dan zal je arts je uit voorzorg geen HCG geven om zo complicaties en een meerlingzwangerschap (zie hieronder) te voorkomen.

Complicaties van eisprongstimulatie met geneesmiddelen
Stimulatie van je eisprong door hormooninjecties is zeker niet zonder risico. Integendeel. Je hebt een verhoogde kans op een meerlingzwangerschap, op een miskraam en een (weliswaar kleine maar niet verwaarloosbare) kans op het zogeheten *ovarieel hyperstimulatiesyndroom* (*OHSS*). Het risico van een miskraam wordt geweten aan een mogelijk slechte voorbereiding van je baarmoederslijmvlies op een zwangerschap. Bovendien is er discussie gerezen over de mogelijk verhoogde kans op het krijgen van eierstokkanker. Uit recent onderzoek blijkt dat dit niet het geval is.

Dus om al dit soort complicaties voor te zijn zul je tijdens de behandeling met gonadotrofinen heel intensief gecontroleerd worden. Zo zal meerdere keren de groei van de eiblaasjes gevolgd worden. Dat kan door (vaginale) echoscopie, maar vaak ook door het meten van de toename van oestrogeen in je bloed. De oestrogenen worden immers geproduceerd door groeiende eiblaasjes (follikels).

Als je meer dan twee eisprongen tegelijk dreigt te krijgen, dan zal je gynaecoloog jou waarschijnlijk niet het HCG-hormoon geven dat nodig is om de eisprong te laten plaatsvinden. Ook zal jullie worden afgeraden om gemeenschap te hebben. Met andere woorden: dan gaat je beurt even voorbij, om te voorkomen dat je zwanger wordt van een drieling of nog meer.

Met hormooninjecties heb je een (verhoogde) kans op:
- **meerlingzwangerschap;**
- **miskraam;**
- **ovarieel hyperstimulatie-syndroom.**

Ovarieel hyperstimulatie-syndroom (OHSS) extra belicht

Bij elke behandeling die wordt toegepast zijn er altijd nadelen: deze kunnen verwaarloosbaar zijn, maar ook heel ernstig, zoals het OHSS.

Als je eisprong kunstmatig hormonaal wordt opgewekt met behulp van gonadotrofinen, dan heb je een kleine kans (0,1 tot 2%) op een ernstige complicatie: het ovarieel hyperstimulatiesyndroom. Bij clomifeengebruik komt dit vrijwel nooit voor.

Je eierstokken werken onder invloed van de hormonen die je krijgt ingespoten erg hard. Er ontwikkelen zich heel veel nieuwe eiblaasjes tegelijk; je eierstokken groeien fors. De vele nieuwe bloedvaatjes die ontstaan gaan bij deze complicatie lekken: de wanden van deze vaatjes laten veel meer vocht door dan normaal. Dit vocht lekt, samen met onder andere eiwitten, weg naar je buikholte. Daardoor neemt je bloedvolume af en wordt je bloed dik en stroperig. Ook je leverfunctie kan ontregeld raken en kan, samen met een reactie van je beenmerg, bijdragen aan een verhoogde stollingsneiging van je bloed. De kans op trombose neemt toe. Je kunt zelfs in shock raken doordat je zo veel vocht en eiwitten verliest. Hierdoor kunnen je nieren het af laten weten. Het vocht hoopt zich op in je buik, waardoor deze enorm opgeblazen kan worden. Ook kan er vocht bij je longen gaan zitten. Soms moet het vrije vocht in je buikholte door middel van een punctie worden weggehaald. Aan de andere kant moet ervoor worden gezorgd dat je niet uitdroogt: er moet voldoende vocht in je bloedbaan en weefsels zijn. Daarom krijg je ook vocht toegediend via een infuus.

Als OHSS niet tijdig wordt onderkend, kan dit levensbedreigend voor je zijn. De oorzaak van het optreden van deze complicatie is niet duidelijk. Wel ontstaat deze eigenlijk alleen als er zwangerschapshormoon, het HCG, aanwezig is in je lichaam. Soms is dat doordat je zwanger bent geworden, maar het kan ook optreden nadat je dit hormoon hebt gekregen tijdens de behandeling om je eisprong tot stand te laten komen.

Dat is de reden dat je zo intensief gecontroleerd zult worden bij deze therapie. De dreiging van het ontstaan van een OHSS tijdens een behandelingscyclus kan ook een reden zijn dat de behandeling acuut wordt afgebroken. Je krijgt dan geen HCG toegediend, waarop er geen (getimede) eisprong zal plaatsvinden. Ook mag je deze cyclus niet zwanger worden: je zult óf niet moeten vrijen, óf heel goed condooms moeten gebruiken.

Behandeling van baarmoeder en eileiders

Operatieve behandeling van PCOS

Naast de in hoofdstuk 7 genoemde maatregelen is er ook operatief wat aan PCOS te doen. Door middel van een kijkoperatie (laparoscopie) wordt een deel van de in je eierstokken aanwezige eiblaasjes verwijderd. Omdat de vele onrijpe eiblaasjes boordevol zitten met het mannelijke hormoon testosteron, zal het verwijderen van een aantal daarvan een gunstig effect hebben op je (vrouwelijke) hormoonhuishouding en daarmee op je eisprong.

Wigresectie
Je eierstokken kunnen worden verkleind door er een stuk uit weg te snijden (ook wel *wigresectie* genoemd).
Een groot nadeel hierbij is dat er verklevingen kunnen ontstaan. Zeker als die verklevingen fors zijn kan dat een (extra) hindernis voor je betekenen om zwanger te worden. Bovendien wordt met deze ingreep soms te veel eierstokweefsel weggehaald. Het gevolg hiervan kan zijn dat je vervroegd in de overgang raakt. Dat is de reden dat een wigresectie niet of nauwelijks meer wordt gedaan.

LEO
Er kan ook een deel van je eierstokken worden weggebrand door middel van een naaldelektrode. Dit heet *LEO* (*laparoscopische elektrocoagulatie van de ovaria*).
Deze elektrode wordt door het oppervlakkige kapsel van je eierstok gestoken tot in het dieper gelegen weefsel. Hierdoor wordt vooral inwendig in je eierstok weefsel verbrand, zonder al te veel schade aan de oppervlakte te geven. Daardoor wordt de kans op verklevingen (een van de belangrijkste risico's van de behandeling) zoveel mogelijk voorkomen.
Er wordt dan ook steeds vaker voor behandeling met LEO gekozen.
Als je last hebt van overgewicht (BMI hoger dan 30) heeft LEO geen zin: gebleken is dat het dan niet helpt.

Een groot voordeel van een operatieve ingreep (met name LEO) is dat het effect langduriger is dan hormoonbehandelingen per cyclus. Het is daardoor minder intensief en belastend voor je. Een ander voordeel is dat er minder kans op een meerlingzwangerschap bestaat, omdat je na LEO vaak weer normaal gaat menstrueren. Enkele grote onderzoeken geven je een kans van 54–68% dat je binnen een jaar zwanger bent. Over twee jaar genomen zouden 7 tot 8 op de 10 vrouwen zwanger zijn na een LEO-behandeling.

Het effect op langere termijn is (nog) niet helemaal bekend. Wel blijft ook nadat je geopereerd bent de mogelijkheid open van een behandeling met hormooninjecties/-tabletten om zo nodig een eisprong op te wekken.

Operatief corrigeren van beschadigingen aan eileiders

Er kan door middel van een HSG (hysterosalpingogram en laparoscopie, zie bladzijde 94 en 95) worden ingeschat in welke mate de eileiderwand en/of het eileiderslijmvlies is beschadigd en of een operatie een kans van slagen heeft.

Behandeling van verklevingen kan gebeuren door middel van het klieven van deze adhesies (*adhesiolyse*). Dit gebeurt met behulp van een schaartje, een naaldelektrode of door middel van laser.

Een eileider kan deels of volledig zijn afgesloten: deze afsluiting zit vaak aan het eind van de eileider en wordt in medische termen *phimosis tubae* genoemd. Er wordt dan een nieuw uiteinde gecreëerd om zo de verstopping operatief te verhelpen.

Soms zit er een ergens halverwege een afsluiting. Het slechte stukje eileider wordt dan verwijderd. De overgebleven uiteinden worden aan elkaar gehecht, vaak met behulp van een microscoop (*re-anastomose*). Je kansen op herstel van je vruchtbaarheid zijn sterk afhankelijk van de staat van je eileiders. Gaat het echt maar om een klein aangedaan stukje en ziet ook de binnenkant van de eileiders er goed uit, dan heb je een heel grote kans dat de operatie slaagt. Je hebt dan 80% kans dat je spontaan zwanger wordt en het embryo zich netjes in de baarmoeder nestelt. Maar is de rest van je eileiders opgezwollen en stug, dan is de kans op een spontane zwangerschap vrijwel nihil.

> **Operatieve correctie van beschadigde eileiders is alleen zinvol bij licht tot matig beschadigde eileiders. Zijn beide eileiders fors aangedaan en/of opgezwollen, zit de afsluiting aan het begin van de eileiders en/of ben je al wat ouder, dan zal meteen worden gekozen voor IVF.**

Zit de afsluiting aan het begin van de eileider (waar deze overgaat in de baarmoeder – een zogeheten *proximale afsluiting*), dan is een operatieve ingreep niet zinvol. Nu lijkt het soms zo, na het maken van een HSG of laparoscopie, of er sprake is van een proximale stop terwijl dat niet zo is. Dat kan gebeuren doordat er een tijdelijke afsluiting zit, bijvoorbeeld door verkramping van de spieren in de wand van je eileiders bij het onderzoek. Een enkele keer zou er sprake kunnen zijn van slijmpropjes. Daarom wordt wel eens geprobeerd om de eileiders door te prikken door middel van een sonde. Er worden succeskansen gegeven van 20 tot 60%. Een deel van deze successen kan mogelijk worden verklaard doordat er niet echt sprake is geweest van zo'n proximale stop.

Opheffen van verklevingen door endometriose

Door middel van laparoscopie kunnen eventuele verklevingen door endometriose worden ontdekt. 'Verdachte' plekjes kunnen dan onderzocht worden door er een klein stukje uit te halen: dan zal al gauw duidelijk worden of het inderdaad baarmoederslijmvlies is buiten de baarmoeder.
Als endometriose de oorzaak is van het uitblijven van een zwangerschap, is hormoonbehandeling niet de goede therapie. De hormonen

> **Inmiddels zitten jullie stevig in de voortdenderende trein van medisch onderzoek en behandeling. Neem tijdig een 'time-out'. Even op adem komen. Even met elkaar bespreken waar jullie nu staan. Onder ogen zien dat het wel erg zwaar is, niet in de laatste plaats emotioneel. En even een periode 'liefde bedrijven' om de liefde, om elkaar, niet om een kind.**

die normaliter voor behandeling van endometriose worden gebruikt zullen weliswaar je eventuele klachten verlichten, maar zullen tegelijkertijd ook je eisprong onderdrukken. En dat is natuurlijk niet de bedoeling als je zwanger probeert te worden.

Of een operatieve ingreep soelaas biedt, is nog steeds niet helemaal bekend; onderzoeken hiernaar spreken elkaar tegen.

Er wordt nog wel eens geprobeerd om laparoscopisch de verklevingen op te heffen en endometrioseplekken te verwijderen door middel van laser of wegbranden (*elektrocoagulatie*).

Ook cysten in de eierstokken worden wel verwijderd. Een voordeel hiervan zou kunnen zijn dat hierna geen verwarring meer kan zijn met rijpende follikels (bijvoorbeeld na eisprongstimulatie). De operatieve ingreep wordt dan ook vaak gezien als een goede voorbereiding op intra-uteriene inseminatie (IUI) en/of in vitro fertilisatie (IVF).

De meest effectieve behandeling waarvoor je kunt kiezen als je (mogelijk) verminderd vruchtbaar bent door endometriose is IUI (bij doorgankelijke eileiders) en IVF.

Herstel van de eileiders na sterilisatie

Voor wat betreft een hersteloperatie na eerdere sterilisatie (*refertilisatie* genoemd) zijn, afhankelijk van de manier van sterilisatie, je kansen goed te noemen. Als je gesteriliseerd was met clips of ringetjes, dan heb je een kans van respectievelijk 85% en 75% op een goede zwangerschap. Als je was gesteriliseerd door middel van het dichtschroeien van je eileiders, dan zijn deze sterker beschadigd. Je kansen op een kind na een hersteloperatie zijn dan 41%.

De ingreep wordt gedaan via een snee in je buik (*laparotomie*) of, indien mogelijk, via een kijkoperatie (*laparoscopie*). Meestal wordt een laparotomie gedaan. Het is nog niet voldoende onderzocht of een laparoscopie vergelijkbare resultaten geeft. Bij laparoscopie echter knap je sneller op en hoef je minder lang in het ziekenhuis te blijven.

Behandeling van zaadproblemen bij de man

Behandeling met hormoonpreparaten

Testosteron

Als gebleken is dat je testosteronwaarden afwijken, kan de oorzaak daarvan in je hypothalamus of je hypofyse liggen. Als je hypothalamus je hypofyse niet goed aanstuurt, kun je behandeld worden met GNRH (gonadotrofine releasing hormone). Ligt de oorzaak bij je hypofyse, dan zul je behandeld worden door middel van injecties met HCG (humaan choriongonadotrofine), een hormoon dat dezelfde werking heeft als het LH (luteïniserend hormoon). Deze injecties moet je driemaal per week gedurende een lange periode krijgen. Als blijkt dat na 6 tot 9 maanden je testosteronspiegel en je zaad niet voldoende hersteld zijn, kan nog geprobeerd worden dit te bereiken door je HMG (humaan menopauzaal gonadotrofine) te geven, een hormoon dat verkregen wordt uit urine van vrouwen voorbij de overgang. HMG bevat zowel LH als FSH (follikelstimulerend hormoon), die beide de zaadballen aanzetten tot het produceren van testosteron en de aanmaak van zaadcellen.

De therapie bij deze zeldzame diagnose is vaak succesvol, maar het vraagt wel een lange adem: tot 2 jaar toe.

Prolactine

Als een verhoogd prolactinegehalte in je bloed (hetgeen de slechte kwaliteit van je zaad veroorzaakt) een bijwerking is van bepaalde medicijnen die je gebruikt, ligt de oplossing voor de hand: stoppen met deze medicatie. Is dat niet de oorzaak, of heeft het stoppen niet het gewenste effect, dan kan de aanmaak van prolactine ook met medicijnen worden onderdrukt. Je moet dan wel nog even geduld hebben: het herstel van je zaadkwaliteit kan zeker 3 tot 6 maanden op zich laten wachten. De hele cyclus van het aanmaken van een nieuwe zaadcel duurt immers 3 maanden. Na deze termijn zal bij herhaling van het

> Over het algemeen zijn hormoonbehandelingen voor het verbeteren van de mannelijke vruchtbaarheid zelden effectief, met uitzondering van enkele specifieke gevallen.

bloedonderzoek blijken of je prolactine- en testosteronwaarden weer normaal zijn.

Als de genomen maatregelen niet voldoende effect hebben, kan alsnog de aanmaak van FSH gestimuleerd worden door je hormooninjecties te geven.

Operatief opheffen van een afsluiting van de zaadleiders

Als de zaadleiders afgesloten zijn door bijvoorbeeld littekenvorming of sterilisatie, kan worden geprobeerd om de afsluiting operatief te verhelpen. Met behulp van microchirurgie wordt het slechte stuk verwijderd, waarna de overgebleven uiteinden weer met elkaar worden verbonden. Afhankelijk van de plaats van de afsluiting maar ook van de duur van de afsluiting zijn resultaten te geven. Hoe langer de afsluiting bestaat, hoe slechter de resultaten van operatieve correctie. De beste resultaten worden gezien bij refertilisatie: herstel na eerdere sterilisatie.

Periode tussen sterilisatie en hersteloperatie	Zaadcellen terug in sperma	Ontstane zwangerschappen
Korter dan 3 jaar	97%	76%
Langer dan 15 jaar	71%	31%

kennen
...gnaal aan het lichaam...
...en om dan minder ander...
...oedsel te eten.

Stress verkleint kans op IVF-succes

Langdurige stress voor, tijdens en na een IVF-behandeling verkleint de kans op succes bij een volgende poging. Dit zegt psycholoog drs. Antje Eugster die begin volgende maand promoveert aan de Universiteit van Tilburg.

Het ondergaan van een IVF-behandeling is een stressvolle gebeurtenis. Volgens Eugster wordt vooral het wachten op de uitslag als belastend ervaren. Als de uitkomst negatief is, overheersen gevoelens van verdriet en woede.

Er zijn veel studies gedaan naar de effecten van stress en het succes op IVF-behandelingen, maar de uitkomsten waren tegenstrijdig. Dat komt volgens de onderzoekster omdat er geen onderscheid is gemaakt tussen acute en chronische stress.

Ze onderzocht bij 47 vrouwen of ze de stress rond de IVF kort of langdurig beleefden. Uit haar resulaten blijkt dat vrouwen die zowel voor als na de behandeling gespannen waren, minder kans hebben op succes dan vrouwen met korte, acute angst.

na twee jaar

9

Methoden om een zwangerschap tot stand te brengen

met behulp van geassisteerde voortplantingstechnieken

Inseminatie

Als je zaad binnenbrengt zonder gemeenschap te hebben heet dat inseminatie. Er zijn verschillende soorten inseminatie: kunstmatige inseminatie waarbij het sperma van je eigen partner in je schede wordt gebracht (KIE), kunstmatige inseminatie met zaad van een donor (KID) en inseminatie waarbij zaad van partner of donor rechtstreeks (hoog) in de baarmoeder wordt ingebracht (IUI).

Inseminatie waarbij het zaad alleen in de vagina gebracht hoeft te worden kun je heel goed zelf doen (of samen). Hierbij moet je het (verse) zaad dat je partner door masturbatie heeft opgewekt met een spuitje opzuigen. Dit spuitje (met slangetje) breng je vervolgens vaginaal (liefst zo diep mogelijk) in en spuit je leeg. Natuurlijk is de timing hiervan essentieel: bij voorkeur moet je het doen kort voor je eisprong. Heb je een regelmatige cyclus van bijvoorbeeld 28 dagen, dan doe je dit op de 11e, 13e en 15e dag. Je kunt ook met een *vruchtbaarheidstest* (meestal doe je dan in de loop van je cyclus dagelijks een urinetest) bepalen wanneer je eisprong eraan zit te komen.

> **Redenen om te besluiten tot inseminatie zijn kort gezegd: mindere kwaliteit van het zaad, slechte uitslag samenlevingstest en/of een (relatieve) onmogelijkheid om samenleving te hebben. Tegenwoordig wordt IUI ook toegepast bij onbegrepen uitblijven van een zwangerschap.**

Inseminatie in je vagina (KIE)

Met KIE (kunstmatige inseminatie eigen partner) breng je zaad kunstmatig op dezelfde plaats als na gemeenschap zou gebeuren. Het wordt
nog maar weinig toegepast. Je hebt namelijk geen grotere kans op
zwangerschap dan wanneer je normaal gemeenschap zou hebben.
Eigenlijk wordt het alleen nog gedaan als gemeenschap niet mogelijk is
doordat je bijvoorbeeld vaginistisch bent of als je partner steeds een te
vroege zaadlozing heeft waardoor de timing van gemeenschap en zaadlozing misloopt.

Inseminatie in je baarmoeder (IUI)

IUI (intra uterine inseminatie) is uiteindelijk een van de meest toege-
paste methodes bij vruchtbaarheidsstoornissen. Hiervoor wordt gekozen
als er sprake lijkt van een *cervixfactor* (zie bladzijde 111), als het sperma
weinig goede (beweeglijke en qua vorm normale) zaadcellen bevat of
als jullie al zeker drie jaar 'bezig zijn' en je, zonder dat er een mogelijke
oorzaak is gevonden, nog steeds niet zwanger bent geworden. Meestal
kun je eigen sperma gebruiken. De kans dat je zwanger wordt na de
eerste IUI behandeling is 5–10%, na zes behandelingen is dit 25–35%.
Ook hier geldt dat timing een belangrijke factor is. Als je steeds spontaan een eisprong hebt kun je het best het tijdstip uitkiezen met behulp
van het bepalen van je LH-piek in je bloed of urine. Hoe vaker je deze
bepaalt, hoe preciezer je kunt timen. De eisprong vindt zo'n 34 tot 38
uur na het begin van de LH-piek in het bloed plaats. Bij een positieve urinetest word je eerder geïnsemineerd: 20 tot 30 uur na je LH-piek.
Ook kan door middel van echoscopie worden ingeschat wanneer er een
eisprong zal plaatsvinden, door de grootte van rijpende eitjes (follikels)
in je eierstokken te meten.
Je eisprong kan kunstmatig opgewekt worden met behulp van een hor-
mooninjectie, wat als voordeel heeft dat je eisprong gepland kan worden. Je kunt de eisprong 38 tot 42 uur na deze injectie verwachten.
Dit wordt meestal gedaan als ook de rijping van je eicellen wat extra
gestimuleerd wordt door middel van hormoontabletten (clomifeen) of
-hormooninjecties (FSH). Dit gebeurt vaker bij IUI, omdat dat je kansen
op een zwangerschap blijkt te vergroten.
IUI zonder eisprongstimulatie wordt gedaan als er sprake is van erg
slecht zaad of een cervixfactor (de post-coïtumtest is negatief: er zijn
geen goede, beweeglijke zaadcellen terug te vinden). IUI met eisprong-

stimulatie wordt gedaan als er wat beter zaad is of als er geen oorzaak gevonden is van het uitblijven van je zwangerschap.

Het spreekt vanzelf dat de eisprongstimulatie met de nodige behoedzaamheid moet gebeuren. De kans op een meerlingzwangerschap wordt bij voorkeur zo laag mogelijk gehouden (zie ook de paragraaf 'Het opwekken van de eisprong' op bladzijde 115). Als echoscopisch blijkt dat je sterk op deze behandeling reageert en er meer dan drie follikels tegelijk uitrijpen, dan zal de behandeling worden gestopt en zul je zelfs met condooms moeten vrijen. Dit omdat het risico van een meerlingzwangerschap dan te groot is.

Bij inseminatie rechtstreeks in de baarmoeder zijn alleen de zaadcellen nodig. Als je het sperma dat je hebt verkregen na masturbatie hebt ingeleverd, dan zal het door het laboratorium eerst bewerkt worden. Sperma is voor een groot deel vloeistof, en de zaadcellen zullen hieraan onttrokken worden. Deze bewerking vergroot ook hun overlevingskans in het geval er antistoffen tegen de zaadcellen aanwezig zijn. In sperma zitten hormonen die kunnen zorgen voor baarmoederkrampen. Deze zullen in het laboratorium worden weggenomen. Zo wordt ook de kans op infecties sterk verkleind. Bij de scheiding van vloeistof (plasma) en zaad houd je vooral goede, beweeglijke zaadcellen over. Alleen als je op deze manier minimaal meer dan 1 miljoen goede zaadcellen overhoudt is IUI zinvol.

Het zaad wordt vervolgens via een heel dun slangetje rechtstreeks hoog in de baarmoederholte gebracht. Hierbij zal de gynaecoloog ook weer eerst het jou inmiddels overbekende *speculum* inbrengen: een 'spreider' in de vorm van een eendenbek waardoor je vagina wordt geopend en je baarmoedermond in het zicht gebracht kan worden.

Nadat het zaad zo is ingebracht is het niet nodig om te blijven liggen. Je kunt 'gewoon' doorgaan met je dagelijkse bezigheden.

Inseminatie met sperma van een donor (KID)

Voor KID (Kunstmatige inseminatie donerzaad) kunnen jullie kiezen als het zaad van erg slechte kwaliteit is. Tegenwoordig zijn er ook andere technieken – zoals ICSI (zie bladzijde 141) – die een oplossing kunnen bieden voor dit probleem. Zelfs als er geen enkele zaadcel te vinden is in je 'zaadvocht' zijn er technieken waarbij het in enkele gevallen lukt om toch nog zaadcellen in je zaad- of bijbal op te sporen. Dat is de reden dat KID steeds minder wordt toegepast.

Emotioneel kan KID vooral voor jou als man en aanstaande vader erg moeilijk zijn: het idee dat het kind dat jullie krijgen biologisch niet je eigen kind is kan je mogelijk tegenstaan. Maar als er bij jullie een erfelijke factor een rol speelt en je deze factor niet door wilt geven aan je kind is KID mogelijk het enige alternatief.

Een enkele keer is de combinatie van jullie genen zodanig dat de zwangerschappen die ontstaan elke keer weer eindigen in een miskraam. Dit komt overigens zelden voor. Maar ook dan kan KID een goede oplossing bieden.

In-vitrofertilisatie (IVF)

25 juli 1978 was een heel bijzondere dag voor een ieder die zich met vruchtbaarheidsproblemen bezighield: de eerste reageerbuisbaby, Louise Brown, werd geboren. Zij is inmiddels opgegroeid tot een gezonde jonge vrouw. Wat zal het bijzonder zijn als zij haar eerste kind zal krijgen: en hoe zal dat gaan? Haar zusje, ook een IVF-kind, heeft inmiddels zelf, spontaan, een kind gebaard.

In Nederland wordt elk jaar tegenwoordig een op de vijftig kinderen geboren na IVF. Dat zijn circa 4000 kinderen per jaar. Hier zijn 13000 tot 14000 behandelingen voor nodig. Rekening houdend met het gegeven dat bij IVF één op de vier zwangerschappen een meerlingzwangerschap is, kun je grofweg zeggen dat al deze behandelingen elk jaar circa 3000 ouderparen helpen om hun kinderwens te vervullen.

IVF is een afkorting van *in-vitrofertilisatie*. *In vitro* betekent 'in glas', waarmee een laboratoriumschaaltje wordt bedoeld (het is gevuld met een uitgebalanceerde voedingsbodem: het kweekmedium); *fertilisatie* is 'bevruchting'. Het wordt ook wel reageerbuisbevruchting genoemd.

Alle cijfers die worden gegeven betreffende de kans op een zwangerschap zijn natuurlijk onderhevig aan diverse variabelen: specifieke laboratoriumomstandigheden kunnen een rol spelen, maar ook selectie van de groep patiënten. Zo moet er bijvoorbeeld gekeken worden naar de leeftijd: is de ene groep ouder waardoor deze sowieso een slechtere prognose heeft dan de andere groep? De kans van slagen verschilt mede daarom per kliniek. Over het algemeen is je kans op een kind na IVF na één poging 20% en na 3 cycli 40–60%.

Ook bij IVF is je leeftijd een beperkende factor: hoe ouder je bent, hoe kleiner de kans is dat de behandeling zal lukken. Bovendien komt ook de kans op aangeboren (chromosomale) afwijkingen om de hoek kijken. Er is (waarschijnlijk) geen verhoogde kans op aangeboren afwijkingen door de IVF-behandeling zelf, wel stijgt de natuurlijke kans op het krijgen van een kind met chromosomale afwijkingen sterk als je (als vrouw) ouder bent dan 40 jaar. Dat is de reden dat je, als je ouder bent dan 35 jaar, soms versneld voor IVF in aanmerking kunt komen. Daar staat tegenover dat je als je ouder bent dan 40 meestal niet meer in aanmerking komt voor deze behandeling.

De invloed van je leeftijd op je zwangerschapkans bij IVF

Leeftijd	< 40	> 40
Gestarte cycli	17.061	3517
Gestopt	12%	23%
Aantal puncties	14.990 (a)	2709 (b)
Zwangerschapskans per punctie	30%	14%
Misgelopen zwangerschappen	18%	37%
Bevallingen	24% (van a)	9% (van b)

Bron: American Society for Reproductive Medicine

Hoe ouder je bent, hoe slechter je reageert op eicelstimulatie door middel van hormonen. Hierdoor zijn er minder eicellen beschikbaar om te gebruiken voor IVF. Vervolgens nestelen minder embryo's zich (goed) in omdat ze van slechtere (eicel)kwaliteit zijn. Ook het percentage miskramen is leeftijdsafhankelijk: hoe ouder je bent, hoe meer kans je hebt dat een zwangerschap eindigt in een miskraam.

Wanneer IVF?

IVF is beslist geen kleinigheid. Het is erg belastend, zowel lichamelijk als emotioneel, en het is kostbaar. Het kan heel zinvol zijn om eerst het iets minder belastende IUI te proberen; daarna kun je, als het niet gelukt is, alsnog overstappen op IVF.
In eerste instantie was IVF echt bedoeld om de eileiderfunctie te vervangen. Het werd gebruikt bij die paren die kinderloos bleven omdat de eileiders dusdanig beschadigd waren dat er geen enkele kans op bevruchting en zwangerschap was. Tegenwoordig wordt IVF ook gebruikt bij problemen van andere aard, en bij paren bij wie geen enkele oorzaak voor het uitblijven van de zwangerschap wordt gevonden.
Als uit onderzoek blijkt dat je eileiders zodanig zijn beschadigd dat operatieve correctie je kansen niet of nauwelijks zal vergroten, zal meestal meteen begonnen worden met IVF-behandeling. Een enkele keer zal aanvullend nog een kijkoperatie (laparoscopie) worden gedaan om de kansen van een eventuele eileideroperatie beter in te schatten.
Ook als je endometriose hebt kun je in aanmerking komen voor IVF. Afhankelijk van de ernst van de endometriose, het aantal verklevingen

en de conditie van je eileiders wordt eerst de endometriose behandeld. Hierna kan eventueel kortere of langere tijd worden afgewacht.

Als er bij jullie geen afwijkingen gevonden worden en de zwangerschap blijft ondanks eventuele andere behandelingen (bijvoorbeeld IUI) toch uit, dan kunnen jullie over het algemeen na drie jaar 'proberen' in aanmerking te komen voor IVF. Is het zaad zo slecht dat er na bewerking in het laboratorium minder dan 1 miljoen beweeglijke zaadcellen overblijven, dan is IUI niet zinvol. Dan wordt er meestal direct overgegaan op IVF of ICSI.

Uiteindelijk wordt IVF als laatste redmiddel gebruikt bij paren die zonder resultaat al vele jaren bezig zijn om zwanger te worden, ook wanneer er geen duidelijke oorzaak van het uitblijven van een zwangerschap wordt gevonden.

Als er een hormonale oorzaak wordt gevonden voor het uitblijven van de zwangerschap, zal eerst geprobeerd worden om met een andere behandeling het probleem op te lossen. Pas in een veel later stadium zul je in aanmerking komen voor IVF.

Reden voor behandeling van IVF in Nederland

Reden voor IVF	1987	1994
Afwijkingen aan de eileiders	70%	30%
Slechte zaadkwaliteit	8,7%	35,5%

Bron: Nederlands Tijdschrift voor Geneeskunde, juli 2004

De behandeling

Onderzoeken

Voorafgaand aan de behandeling zullen jij en je partner gescreend worden op HIV en hepatitis B en C. Ook kan je gynaecoloog een indruk willen krijgen van de hoeveelheid in aanleg aanwezige eicellen in je eierstokken (je *ovariële reserve*). Dit om eventueel te proberen de reactie van je eierstokken op de toe te dienen hormonen in te schatten en/of een uitspraak te doen over je kansen op zwangerschap (zie ook 'Vroegtijdige overgang', bladzijde 105).

Er zijn drie mogelijkheden om dit te testen. Als je FSH op de 3e dag van je cyclus bij herhaling erg hoog is, moet je lichaam blijkbaar extra moeite doen om eicellen te stimuleren om te groeien. Dat kan betekenen dat er nog weinig eicellen in voorraad zijn.

Ook de reactie van je lichaam op eicelstimulatie kan getest worden. Dat kan door middel van de clomifeencitraat-challengetest (CCCT; *challenge* = uitdaging): nadat je 5 dagen lang, vanaf de 5e dag van je cyclus, clomifeen hebt gekregen wordt wederom de stijging van het FSH gemeten tussen dag 3 en dag 10.

Uiteindelijk kun je de hormonen meten die groeiende eicellen produceren: het *oestradiol* en *inhibine B*. Dit wordt gedaan 24 uur nadat je FSH hebt gekregen op je 3e cyclusdag. Deze test heet de EFORT (*exogeen FSH ovariële reserve test)*: het blijkt een redelijke methode te zijn om je eicelvoorraad mee in te schatten.

Tegenwoordig wordt vaak het aantal kleine eiblaasjes echoscopisch geteld. Dit lijkt de beste test te zijn om de ovariële reserve te bepalen en de reactie op stimulatie bij IVF te voorspellen.

Je eileiders zijn normaal gesproken zo dun dat je ze bij een echoscopie nauwelijks of helemaal niet kunt zien. Wanneer je eileiders tijdens het echo-onderzoek wel goed zichtbaar zijn, kan er sprake zijn van een (beiderzijdse) *hydrosalpinx*: er heeft zich vocht in je eileiders opgehoopt. Vaak ontstaat een hydrosalpinx als gevolg van een eerder doorgemaakte ontsteking. Ook tijdens een laparoscopie (kijkoperatie in je buik) en/of op een HSG (contrastfoto) zullen je eileiders dan opvallend groot zijn. Volgens de laatste inzichten is het verstandig om je aangedane eileiders operatief te verwijderen. Ze hebben immers geen functie meer. Door de ontsteking kunnen ze (waarschijnlijk) zelfs een negatieve invloed hebben op je kansen op een zwangerschap na een IVF-behandeling.

Hormoonbehandeling

Bij een IVF-behandeling is het gunstig om meerdere eitjes tegelijk te laten rijpen omdat dat je kans op zwangerschap vergroot. Hiervoor zul je dagelijks FSH krijgen, het follikelstimulerend hormoon, om eiblaasjes te stimuleren om te groeien.

Hieraan voorafgaand zal je eigen cyclus kunstmatig hormonaal worden onderdrukt zodat je lichaam niet met een spontane eisprong zal reageren op de rijpende eicellen. Rijpende eicellen scheiden namelijk hormonen af (oestrogenen). Als er meerdere follikels tegelijk rijpen zullen er eerder meer oestrogenen worden afgescheiden. Daarop wil je lichaam te vroeg reageren met het maken van LH: het hormoon dat zorgt voor de eisprong. Deze eisprong gebeurt dan meestal onverwacht: hier kan dan niet tijdig op worden gereageerd en de eitjes zullen verloren gaan.

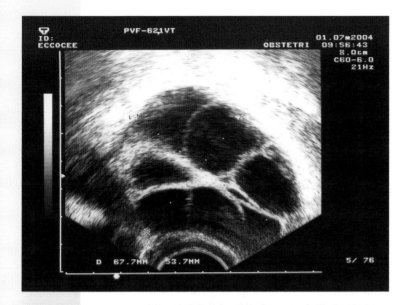

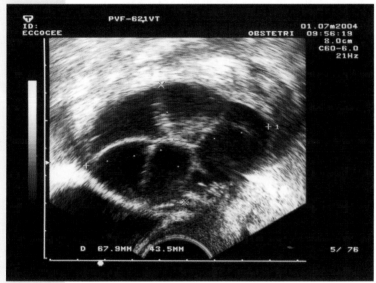

Dit onderdrukken en stimuleren kan met verschillende hormonen en verschillende (kortere of langere) schema's. Men verricht nog volop onderzoek naar wat het best gegeven kan worden. Zo wordt onderzocht of je
beter HMG kunt gebruiken voor eicelstimulatie, of bijvoorbeeld recombinant FSH. HMG wordt verkregen uit urine van vrouwen die voorbij de
overgang zijn en bestaat uit FSH met een beetje LH. Het recombinant

FSH wordt gemaakt volgens een speciale DNA-techniek. Dit is heel zuiver en bevat uitsluitend FSH.

Voor het onderdrukken van je cyclus worden GNRH-*agonisten* gegeven. Deze worden ook wel LHRH-analogen genoemd. Ze remmen het effect van LHRH (het hormoon dat de LH-afgifte in je lichaam regelt). Een nadeel hiervan is de relatief lange periode dat je dit hormoon moet gebruiken.

Er bestaan nu ook GNRH-*antagonisten*: die hebben direct effect en hoef je pas één dag voordat je aan de follikelstimulerende hormonen moet beginnen te gebruiken. Het is dus veel minder belastend. Nog een voordeel is dat je waarschijnlijk minder kans hebt op het OHSS (ovarieel hyperstimulatiesyndroom). En groot nadeel is dat het succes van dit hormoon minder groot is: er blijken minder zwangerschappen te ontstaan als dit hormoon wordt gebruikt.

Gaandeweg je cyclus (na de 8^e dag) zal er regelmatig, zo niet dagelijks dan toch zeker om de dag, een inwendige echo gemaakt worden om de groei van de eiblaasjes (follikels) te vervolgen. Ook de hoeveelheid van het hormoon oestradiol in je bloed kan worden gemeten als maat voor de groei van follikels. Zijn er ten minste drie follikels groter dan 15 mm in doorsnee en minimaal één van meer dan 18 mm, dan zul je via een injectie het hormoon HCG krijgen. De werking van HCG lijkt op dat van LH. Het zorgt ervoor dat het eitje loskomt van de wand van het eiblaasje en vrij komt in de eiblaasvloeistof. 34 tot 36 uur later wordt de punctie gepland.

Gebeurt de punctie te vroeg, dan zal alleen de vloeistof worden opgezogen. Gebeurt ze te laat, dan zal de eisprong al zijn geweest en valt er helaas niet veel meer op te zuigen.

De punctie

De punctie zelf zul je waarschijnlijk pijnlijk vinden. Daarom krijg je ook pijnstilling: meestal een injectie in je been, maar de arts kan je ook via je schede een verdoving geven. Als je heel erg gespannen bent, kan het ook prettig zijn als je een kalmeringsmiddel krijgt. Dit maakt een beetje suf, dus houd daar rekening mee met het oog op vervoer en de verdere planning van je dag. Vroeger werd er ook algehele narcose gegeven, maar dat gebeurt steeds minder: plaatselijke verdoving volstaat vrijwel altijd.

Vervolgens wordt eerst je vagina gespoeld met steriel water (andere schoonmaakvloeistoffen kunnen het eitje beschadigen) om 'het milieu' zo gunstig mogelijk te maken en de kans op infecties zo klein mogelijk. De vagina moet schoon en niet te zuur zijn (dat is ze van nature wel).

Daarop wordt om de staaf waarmee een inwendige echo wordt gemaakt een steriele hoes (condoom) geschoven, en aan de staaf wordt een lange naaldgeleider met naald bevestigd. Met behulp van deze naald, op geleide van het echobeeld, worden de eiblaasjes aangeprikt en leeggezogen.

Het laboratorium: de bevruchting

In het laboratorium worden de eicellen van het (follikel)vocht gescheiden en in een schaaltje met voedingsstoffen gedaan, waarop ze in een warme 'stoof' wordt bewaard. Al heel gauw hoor je hoeveel eitjes er bij de punctie verkregen zijn.

Na 1 tot 6 uur (afhankelijk van de rijpheid van de eitjes) wordt het wederom opgewerkte zaad erbij gevoegd: de eitjes worden geïnsemineerd.

Na 18–22 uur wordt gekeken of er inderdaad een bevruchting heeft plaatsgevonden. Er zijn dan twee kleine kernen aanwezig: de één met het erfelijke materiaal van het eitje, de ander met het erfelijke materiaal van het zaadje. Het zal zich verder gaan delen in meerdere cellen. Dit

IVF-techniek

1 eierstok, eileider,
eitje

2 eicellen in schaaltje
met voedingsstoffen
(1 á 2 uur wachten)

3 insemineren

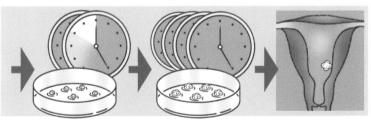

4 na 18 – 22 uur
bevruchte eicellen

5 na 48 uur beoorde-
ling embryo's

6 embryo terugplaat-
sen in baarmoeder

proces wordt nauwlettend gevolgd. Vanaf dit punt is er sprake van een embryo.

Een volgend ijkpunt is 48 uur na de punctie: er wordt gekeken naar het aantal cellen per embryo, naar de vorm van deze cellen en ook of ze gelijkvormig zijn. Zo wordt bepaald of de embryo's van goede kwaliteit zijn.

Oorspronkelijk werden de embryo's altijd na 2 tot 3 dagen terugge-plaatst in de baarmoeder. Tegenwoordig wordt er regelmatig gewacht tot 5 dagen na de bevruchting. Als je weet dat de reis van een embryo door de eileiders ook een dag of 5–6 duurt, lijkt dit niet eens zo onlo-gisch.

Een bijkomend maar belangrijk voordeel van later terugplaatsen is dat, naarmate je langer wacht, er nog beter kan worden bepaald welke embryo's zich het best ontwikkelen en dus de meeste kans maken om door te groeien nadat ze teruggeplaatst zijn.

Jammer genoeg blijft het moeilijk om van tevoren te voorspellen welke embryo's zich goed zullen ontwikkelen en de meeste kans maken om in te nestelen en door te groeien.

Terugplaatsing van de embryo's

Tegenwoordig worden er niet meer dan twee embryo's teruggeplaatst. Als er meer embryo's teruggeplaatst zouden worden vergroot dat je kans op een zwangerschap niet, terwijl het risico op een meer-lingzwangerschap met alle complicaties van dien wel dui-delijk groter is. Er zijn zelfs klinieken die om die reden niet meer dan één embryo tegelijkertijd terugplaatsen.

> **Als bij IVF twee embryo's worden teruggeplaatst, dan heb je bij een doorgaande zwangerschap 20 tot 25% kans op een tweeling-zwangerschap.**

Meestal zal het embryo rechtstreeks, vaginaal met een dun kunststof slangetje, bij je worden teruggeplaatst. Je vagina mag niet van tevoren ontsmet worden – dit met het oog op de kwetsbaarheid van het embryo. Het embryo zou kunnen worden beschadigd. Je vagina kan eventueel worden gespoeld met kweekmedium: een vloeistof met voedingstoffen. Je kunt na terugplaatsing gewoon weer lopen, je hoeft niet te blijven liggen. Het is bovendien over het algemeen pijnloos.

Dat terugplaatsen wordt meestal midden in je baarmoeder gedaan. Heel recent onderzoek naar waar in de baarmoeder het embryo het best teruggeplaatst kan worden suggereert dat de plaats in de baarmoeder van invloed zou kunnen zijn op het succes van de IVF-poging. Bij dit onderzoek bleek dat er meer zwangerschappen ontstonden na terugplaatsing van het embryo lager in de baarmoeder. Subtiele verschillen als deze zouden een verklaring kunnen zijn voor het verschil in succespercentages per kliniek.

Om het slijmvlies van je baarmoeder dik en intact te houden zul je rond de punctie al hormonen moeten krijgen. Het gele lichaam, dat normaliter het hormoon progesteron aanmaakt voor het geschikt maken van je baarmoederslijmvlies, functioneert niet goed genoeg doordat je eigen cyclus wordt onderdrukt. Daarom moet je dagelijks vaginale progesterontabletten gebruiken (soms worden injecties voorgeschreven). Deze moet je meestal blijven gebruiken tot je 12 weken zwanger bent of tot blijkt dat de zwangerschapstest negatief is.

Na de punctie zul je twee (lange) weken moeten wachten of het is gelukt: of het embryo (c.q. de embryo's) zich echt heeft ingenesteld. Als je weer gaat menstrueren zal dat zeker een enorme teleurstelling zijn. En wees gewaarschuwd: als je niet meteen ongesteld wordt, wil dat niet zeggen dat je zwanger bent: je menstruatie kan uitblijven door het hormoongebruik, en ook kun je 'zwangerschapsverschijnselen' als pijnlijke borsten en misselijkheid hebben.

Het invriezen van embryo's

Soms blijken er meerdere goede embryo's te groeien: embryo's waarbij ook na 2 à 3 dagen de celdelingen gestaag door blijven gaan. Dat biedt de mogelijkheid om heel kritisch te selecteren welke zullen worden teruggeplaatst. Zoals eerder gezegd zullen er meestal niet meer dan twee worden teruggeplaatst, om het risico op een (grote) meerlingzwangerschap te voorkomen. Blijven er dan nog goede embryo's over, dan kunnen jullie de keuze krijgen of je de embryo's wilt bewaren. Dit gebeurt door de embryo's in te vriezen: dit heet *cryopreservatie*. (Zie ook 'De embryowet, bladzijde 158).

Een groot voordeel hiervan is dat, mochten de oorspronkelijk teruggeplaatste embryo's niet innestelen en deze IVF-poging dus is mislukt, opnieuw een poging gedaan kan worden met de ingevroren embryo's zonder dat je weer de cyclus door moet met hormonale stimulatie en puncties.

De techniek van het invriezen is nog niet optimaal, al wordt deze steeds beter. Er sneuvelen in tweede instantie veel embryo's na ontdooien. Toch is je kans op zwangerschap hierna altijd nog 10%.

Variaties op IVF

Bij al het onderzoek naar manieren om de natuur een handje te helpen als spontaan zwanger worden niet lukt, is er natuurlijk ook gekeken of een andere manier van terugplaatsen van het embryo meer succes zou hebben. Zo kwam men op *GIFT* en *ZIFT*.

GIFT is de afkorting van *gamete intrafallopian transfer*. Het komt heel erg dicht bij IVF: het enige verschil tussen IVF en GIFT is dat bij de laatste behandeling het zaad en het eitje niet bij elkaar worden gebracht in het laboratorium, maar direct in het uiteinde van je eileiders. Dit gebeurt onder narcose middels een laparoscopische (kijk)operatie.

Eigenlijk wordt deze behandeling nauwelijks meer gedaan omdat ze geen voordelen heeft boven een IVF-behandeling. Integendeel: ze is zelfs belastender omdat je onder narcose moet. Bovendien weet je niet of er een bevruchting plaatsvindt en kun je al helemaal geen keuze maken in goede embryo's als die al bestaan.

Zo kun je nog een stapje verder: wel in het laboratorium de bevruchting laten plaatsvinden, goede embryo's (voorzover mogelijk) uitkiezen en dan al vrij snel terugplaatsen in het uiteinde van je eileider. Dit gebeurt meestal 18–24 uur na de bevruchting in het laboratorium. Dit heet ZIFT: *zygote intrafallopian transfer*. Het embryo moet dan zelf de reis naar de baarmoederholte maken. Het theoretische voordeel is dat het embryo korter in het laboratorium is. Maar de praktijk wijst uit dat je zwangerschapskansen hier niet groter door worden. Bovendien moet het terugplaatsen onder narcose gebeuren, wat toch weer een groot nadeel is.

En zo kun je meer variaties op dit thema bedenken, maar uiteindelijk valt men toch terug op IVF omdat er op de hierboven beschreven manieren verder geen winst te behalen valt.

ICSI

Bij ongewenste kinderloosheid werd vroeger per definitie met een beschuldigende vinger naar de vrouw gewezen. Met die beschuldigende vinger ging men voorbij aan het grote verdriet en de machteloosheid die daarachter schuilgingen. Tegenwoordig is (gelukkig) het beeld wel wat veranderd: dat moet ook haast wel, met al die paren (1 op de 7) die zich met een onvervulde kinderwens tot de medische wereld wenden. Er is tegenwoordig veel meer kennis op het gebied van vruchtbaarheid, maar ook meer begrip voor de emotionele aspecten die hierbij een rol spelen. Toch, als de oorzaak van het uitblijven van de zwangerschap bij de man blijkt te liggen is het voor de meeste mannen wel even slikken. Al houd je er in je achterhoofd wel rekening mee, het is erg confronterend als blijkt dat het aan jou als man ligt: je zaad is dus niet goed. Heb je dan het gevoel dat je als man tekortschiet? Ben je bang dat men vruchtbaarheid en potentie aan elkaar gelijkstelt? Waar zit toch dat probleem?

> **Onvruchtbaarheid bij de man is een groter taboe dan vrouwelijke onvruchtbaarheid. Mogelijk omdat vrouwen hier opener over zijn, meer behoefte hebben aan praten met anderen (vriendin, zus) dan mannen. Misschien ook omdat mannen het meer ervaren als falen in hun mannelijkheid.**

Vroeger betekende slecht zaad het einde van de mogelijkheden voor de man om eigen kinderen te verwekken: de enige oplossing was donorzaad gebruiken. Maar nu, dankzij de ontwikkeling van ICSI (*intracytoplasmatische sperma-injectie*), is er vaak toch wat aan te doen.
ICSI is een belangrijke, zelfs revolutionaire, aanvulling op IVF. In 1992 werden de eerste kinderen geboren dankzij deze nieuwe vruchtbaarheidstechniek.

Wat is ICSI?

Bij ICSI is maar één goede zaadcel per eicel nodig. Onder de microscoop wordt gezocht naar in ieder geval één goed bewegende zaadcel. Deze zaadcel wordt opgezogen en rechtstreeks in het vocht (plasma) van de eicel gebracht door middel van een microscopisch kleine naald.

De rest van de behandeling, vóór en na deze extra laboratoriumhandeling, is gelijk aan die van IVF.

Wanneer ICSI?

Voor IVF heb je redelijk goed zaad nodig: nadat het zaad in het laboratorium bewerkt is heb je immers nog steeds aardig wat zaadcellen nodig om één eicel te bevruchten. In het sperma moeten minstens een paar miljoen goede beweeglijke zaadcellen zitten. Na opwerken van het zaad in het laboratorium heb je per eicel zo'n 60.000 geselecteerde (goed beweeglijke) zaadcellen nodig om een goede kans op bevruchting te hebben. De bevruchting zelf is namelijk ook niet zo eenvoudig: er gaan allerlei belangrijke processen aan vooraf voordat een zaadcel eindelijk door de wand van de eicel is gebroken en al zijn erfelijke materiaal in het eitje heeft kunnen brengen. Als je zaad van erg slechte kwaliteit is (minder dan één miljoen goed beweeglijke zaadcellen) komen jullie in aanmerking voor ICSI.

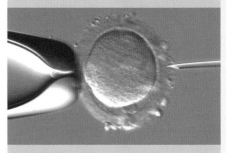

Eicel, klaar om geïnjecteerd te worden

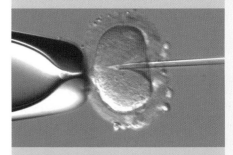

Zaadcel wordt in eicel geïnjecteerd

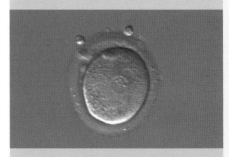

Fertilisatie: een bevruchte eicel met twee kernen

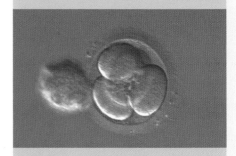

Een embryo met vier cellen, twee dagen na de injectie

Een paar cijfers: met de ICSI-techniek is de kans dat een
eicel bevrucht wordt 50–60%. Per cyclus komen er
meerdere eicellen beschikbaar, waardoor het in 90% van
de gevallen lukt om een bevruchte eicel te krijgen.
In 20–30% van de behandelingen nestelt het eitje
(embryo inmiddels) zich in.
Bij een natuurlijke bevruchting slagen zaadcellen er in
70–80% van de gevallen in om een rijpe eicel te
bevruchten. Maar 10 tot 15% van deze eicellen nestelt
zich in.

Wat goed is om te weten, is dat ICSI de kans op een zwangerschap niet
vergroot. ICSI vergroot alleen de kans op een bevruchte eicel als er sprake is van 'slecht zaad' en er met de IVF-techniek geen bevruchting
plaatsvindt. De kans op een succesvolle innesteling van het embryo (dus
zwangerschap) wordt met ICSI niet groter.
Deze techniek is wel een enorme winst: daar waar de medische wereld
met de rug tegen de muur stond als het zaad zo slecht was dat ook IVF
mislukte, hoeft dit nu niet meer te betekenen dat de mogelijkheden uit-
geput zijn.

Geen levende zaadcellen: wat nu?

MESA/PESA

Soms zijn je zaadleiders niet aangelegd, soms zijn ze beschadigd door een infectie zoals een geslachtsziekte of door een eerdere sterilisatie. Is dat laatste het geval, dan zal in eerste instantie worden geprobeerd om microchirurgisch je zaadleiders te herstellen. Zeker als je geen zaadlozing meer hebt omdat je gesteriliseerd bent heeft het zin om te proberen operatief je zaadleiders te herstellen. Herstel na een infectie heeft minder kans van slagen.

Als herstel van je zaadleiders niet mogelijk blijkt, kan een van de allernieuwste ontwikkelingen op het gebied van vruchtbaarheidstechnieken misschien nog uitkomst bieden: *MESA/PESA* of *TESE*. Hierbij wordt (door een uroloog) het zaad rechtstreeks uit je bijbal gehaald. Voorwaarde is natuurlijk wel dat er geen stoornis is in de *aanmaak* van zaadcellen.

Als er zaadcellen uit je bijbal worden gehaald door middel van een punctie, dan heet dat PESA (*percutane epididymale sperma-aspiratie*). Dit kan onder plaatselijke verdoving en gebeurt poliklinisch.

Belastender (voor jou) en moeilijker (voor de uroloog) is het als het zaad uit je bijbal chirurgisch verkregen moet worden. Dit wordt MESA (*microchirurgische epididymale sperma-aspiratie*).

De uroloog zal wel wat terughoudend zijn met al te vaak de bijbal aan te prikken. Met elke ingreep bestaat namelijk ook het gevaar van bindweefselvorming (het ontstaan van littekenweefsel), wat de bijbal natuurlijk niet ten goede komt. Bij deze ingrepen is een laborant van het vruchtbaarheidslaboratorium aanwezig die meteen beoordeelt of er goede zaadcellen bij zitten. Is dat niet het geval, dan zal de specialist uit je andere bijbal proberen zaad te halen. Worden er wel goede zaadcellen gevonden, dan worden deze ingevroren om te bewaren.

Op deze manier lukt het toch regelmatig om vele duizenden (!) zaadcellen te krijgen.

Hierna zal bij je vrouwelijke partner het programma volgens IVF/ICSI worden opgestart. Op het moment dat de eicellen zijn verkregen, zal geprobeerd worden om deze met de ontdooide zaadcellen te bevruchten. Eigenlijk gebeurt dit altijd met ICSI (zie hiervoor): het zaad is zelden of nooit goed genoeg voor 'gewone' IVF.

Als het heel erg tegenzit, kan het zijn dat de zaadcellen na het ontdooien niet goed genoeg meer zijn. Dan zullen direct na de punctie van eicellen bij je partner meteen bij jou opnieuw zaadcellen worden gezocht door middel van PESA of MESA, waarna de eicellen alsnog middels ICSI worden bevrucht. Anders is de punctie voor niets geweest en gaan de eicellen verloren.

De kans dat het lukt om middels MESA/PESA een eicel te bevruchten is 50%. Omdat het (meestal) gaat om meerdere eicellen, is je kans op een embryo dat teruggeplaatst kan worden volgens de laatste onderzoeken even groot als na ICSI met 'normaal' verkregen zaad.

Aanvankelijk hadden artsen en embryologen onderling afgesproken dat deze techniek niet toegepast zou worden, omdat er twijfel bestond over de veiligheid van het gebruik van zaadcellen die misschien wel verouderd waren (omdat ze al langer in de bijbal zaten). Bovendien vindt er nauwelijks of geen natuurlijke selectie van zaadcellen plaats (wat weliswaar ook het geval is bij ICSI met zaadcellen uit een gewone zaadlozing). Er zijn te weinig gegevens over de effecten op het kind: krijgt het op deze manier niet eerder een chromosomale afwijking mee? Aan de andere kant: als die zaadleiders geblokkeerd zijn, hoeft dat geen effect te hebben op de kwaliteit van het zaad.

Uiteindelijk heeft men, in samenspraak met het ministerie van Volksgezondheid, Welzijn en Sport, besloten om per 1 januari 2001 deze behandeling in enkele klinieken toe te laten als er sprake is van afgesloten zaadleiders. Het wordt dus in Nederland niet gedaan als er sprake is van een verstoorde aanmaak van zaadcellen.

Alle kinderen die dankzij deze behandeling geboren worden, moeten worden gevolgd om te registreren hoe zij zich ontwikkelen in de loop der jaren, zowel lichamelijk als geestelijk. Dus als jullie in aanmerking willen komen voor deze behandeling, zal vooraf jullie toestemming worden gevraagd om, als de behandeling succesvol is en jullie een kind krijgen, je kind meerdere jaren te mogen volgen.

TESE

Bij *testiculaire sperma-extractie (TESE)* wordt het zaad rechtstreeks uit je zaadbal gehaald. Dit gebeurt meestal onder narcose, al kan het ook onder plaatselijke verdoving. Het verschil in verdoving hangt ook weer samen, net als bij MESA en PESA, met de techniek waarmee dit gebeurt: het kan chirurgisch, waarbij je balzak geopend wordt zodat de specialist kan zien waar hij moet zoeken, en het kan ook met een dunne naald: 'blind', op gevoel.

Vroeger werd bij mannen die geen zaadcellen in hun sperma hadden, geen verder onderzoek gedaan. Zeker als de zaadballen ook nog erg klein van formaat waren, eventueel in combinatie met een afwijkende waarde van het hormoon FSH, werd de diagnose gesteld dat de zaadballen niet functioneel waren (in medische termen: *testiculair falen*). Voortschrijdend onderzoek op dit gebied heeft echter aangetoond dat als er een klein stukje (een zogeheten *biopt*) van de zaadbal wordt genomen en men dit microscopisch onderzoekt, er bij de helft van deze mannen toch zaadcellen te vinden zijn, al is het dan soms na lang zoeken. En dat kan dankzij ICSI toch voldoende zijn om een eicel te bevruchten. De zaadjes die met TESE worden gevangen zijn nog niet helemaal uitgerijpt: dat gebeurt normaal gesproken in de bijbal. Omdat ze nog in een bepaald voorstadium van hun ontwikkeling zitten is men wat huiverig voor het gebruik van deze zaadjes. Dat is de reden dat deze behandeling in Nederland voorlopig nog niet uitgevoerd mag worden. In het buitenland (België bijvoorbeeld) gebeurt dit al wel.

Invriezen (*cryopreservatie*)
extra belicht

Het is goed mogelijk om zaadcellen en embryo's in te vriezen om in een later stadium weer te gebruiken. Wel is het zo dat de kwaliteit vaak wat achteruit kan gaan, waardoor ze mogelijk niet 'aanslaan' en alsnog verloren zullen gaan. (Zie ook 'De embryowet, bladzijde 158.)
De eerste zwangerschap die na het terugplaatsen van een ontdooid embryo ontstond, vond plaats in 1983. Deze eindigde helaas in een miskraam. In Nederland was de eerste geslaagde poging ook in 1983: er werd een tweeling geboren na het terugplaatsen van ontdooide embryo's.

Het is (nog) niet goed mogelijk om (onbevruchte) eicellen in te vriezen. Onderzoek hiernaar is nog altijd in volle gang. Ook onderzoekt men of het misschien mogelijk is om eierstokweefsel in te vriezen. In dit weefsel zitten al gauw honderdduizenden onrijpe eicellen. Hoe jonger je bent, des te meer er zijn. Mogelijk dat heel jonge vrouwen daarom nog kans hebben op enig herstel van hun vruchtbaarheid na bijvoorbeeld bestraling. Wat een winst zou het zijn als delen van de kostbare eierstokken konden worden ingevroren voor later gebruik. Toch is dit nog heel onzeker. Er moet nog zo veel onderzocht worden op dit gebied: bijvoorbeeld naar hoe je *in vitro* (dus in een laboratoriumschaaltje met voedingsstoffen) eicellen verder kunt laten rijpen om ze bruikbaar te maken, want alleen *rijpe* eicellen kunnen bevrucht worden en doorgroeien tot een embryo.
Er kunnen meerdere redenen zijn om eicellen in te willen vriezen. De belangrijkste reden is dat je als vrouw op jongere leeftijd, misschien als kind al, een ernstige ziekte als kanker krijgt en behandeld moet worden met chemotherapie en/of bestraling. Je loopt dan het risico dat de eitjes in je eierstokken worden vernietigd. Daar waar een dergelijke behandeling je kans om deze ernstige ziekte te overwinnen vergroot, zal die wellicht tegelijkertijd je kans op het krijgen van (eigen) kinderen verkleinen of zelfs tenietdoen.
Nog een reden om eicellen te willen invriezen is als er na stimulatie meer eicellen dan zaadcellen zijn en dus niet alle eicellen bevrucht kunnen worden. De overtollige eicellen kunnen dan goed bewaard worden, om ze eventueel in een later stadium, als er toch weer zaadcellen zijn gevonden, alsnog te gebruiken.

Verder zijn er nog argumenten die voortvloeien uit bijvoorbeeld religieuze overtuiging: als je geen risico wilt lopen dat er na IVF (ingevroren) embryo's overblijven en vernietigd zullen worden kan dat voor jullie een belangrijke overweging zijn om alleen eicellen te bevruchten die je gaat gebruiken. Overtollige eicellen kun je eventueel bij een volgende poging gebruiken als er geen zwangerschap is ontstaan.

Als vruchtbaarheidstechnieken nog gangbaarder zullen zijn in de toekomst, dan zouden (jonge) vrouwen misschien zelfs kunnen kiezen voor het invriezen van eicellen als zij nog geen actuele kinderwens hebben. Dit om eventuele vruchtbaarheidsproblemen op latere leeftijd vóór te zijn. Een bijkomend voordeel hiervan is dat je de kans op chromosomale afwijkingen als het Downsyndroom, die groter is als je op oudere leeftijd zwanger wilt worden, omzeilt: de eicellen zijn immers van toen je jonger was. Een nadeel zou zijn dat, afgezien van de bij voorbaat hogere kosten door de vruchtbaarheidsbehandeling, het makkelijker wordt om het krijgen van kinderen massaal uit te stellen. En of dat de gezondheid en het welzijn ten goede komt is een ethische discussie: de maakbare wereld?

Risico's en voorzorgen bij IVF en ICSI

Aan alle behandelingen kleven nadelen. Er wordt gewerkt met zulke kwetsbare zaken, de timing en dosering luisteren zo nauw, dat grote precisie vereist is. Hieronder volgt een overzicht van belangrijke punten.

De behandeling met hormonen

Het belangrijkste risico van hormoonbehandeling voor jou als vrouw is al genoemd: het *ovarieel hyperstimulatiesyndroom* (OHSS). Het is een betrekkelijk weinig voorkomende complicatie, maar zo ernstig dat iedereen hier alert op zal zijn. Als er te veel eiblaasjes rijpen of als je oestradiolwaarden te hoog worden, dan zal de gynaecoloog stoppen met de behandeling. Soms krijg je wel een punctie om de eitjes niet verloren te laten gaan, maar als er na inseminatie embryo's zijn ontstaan worden ze niet direct teruggeplaatst. Ze zullen worden ingevroren om pas in een latere cyclus teruggeplaatst te worden.

Naast het risico van het ontstaan van het OHSS, bestaat er mogelijk een kans dat je een verhoogd risico hebt op eierstok- of borstkanker. Gelukkig zijn daar op dit moment geen keiharde aanwijzingen voor. Er loopt op dit moment een aantal goed opgezette, grote studies om hier meer inzicht in te krijgen. Vooralsnog is ook uit deze studies geen verhoogd risico gebleken.

De follikelpunctie

Nadat je eiblaasjes zijn aangeprikt om de eitjes op te zuigen is er een kans dat je wat vaginaal *bloedverlies* krijgt. Het is onverwacht misschien, waardoor je even kunt schrikken. Maar aan de andere kant is het een logisch risico: de punctie vindt meestal plaats via je schede. Daar komt soms wat bloed bij vrij. Als je bloed verliest, is het meestal maar een beetje (maximaal in totaal minder dan een half kopje vol).

Door de punctie kun je een heel enkele keer (dat gebeurt hooguit bij één op de honderd puncties) een *infectie* oplopen. Als er al aanwijzingen zijn dat je mogelijk een infectiehaard bij je draagt, zoals bijvoorbeeld endometriosecysten of opgezette eileiders, dan zul je rond de punctie voor de zekerheid antibiotica toegediend krijgen om zo een eventuele infectie te voorkomen.

Zorgvuldigheid in het laboratorium

Het ergste wat in het laboratorium kan gebeuren is een verwisseling van zaadcellen, eicellen of embryo's. Als jullie hier bezorgd om zijn, zijn jullie beslist niet de enige. Om verwisseling te voorkomen zijn er uitgebreide richtlijnen en voorwaarden waar de laboranten van elke IVF-kliniek zich aan houden. Alles heeft zijn eigen plaats waar het bewaard wordt, elk embryo zijn eigen plek in de broedstoof. Alles is dubbel gemerkt en alles wat gebruikt zal worden wordt door twee medewerkers op naam en nummer gecontroleerd: check, check en dubbelcheck.

Ook wordt bijvoorbeeld bij het opwerken van zaad het zaadmonster van slechts één man tegelijk bewerkt.

Het risico van aangeboren afwijkingen

Een belangrijk punt van aandacht is dat van mogelijke aangeboren afwijkingen, erfelijk of anderszins.

Hoe zit dat bij IVF? Een reden voor sommigen om geen IVF te doen nadat je als vrouw de 40 bent gepasseerd, is dat er dan sowieso een verhoogde kans is op chromosomale afwijkingen (denk aan het Downsyndroom). Als de IVF-behandeling zelf ook een verhoogd risico zou geven op deze afwijkingen, zou je risico extra groot zijn.

Het risico van aangeboren afwijkingen is een actuele discussie. Voor de IVF-procedure op zich geldt nu dat er al zo veel kinderen geboren zijn na IVF dat men een vrij betrouwbare indruk kan hebben van een mogelijk verhoogd risico: dat lijkt er niet te zijn. Onbekend is (nog) hoe de erfelijkheid is met betrekking tot de vruchtbaarheid van kinderen van verminderd vruchtbare ouders.

Aangeboren afwijkingen en ISCI. De ontwikkeling van deze techniek is zo hard gegaan en vormt zo'n waardevolle aanvulling op IVF, dat deze al gauw in de praktijk werd toegepast. Daardoor zijn er te weinig gegevens om een zeker antwoord te geven. Het lijkt er wel op dat je een licht verhoogde kans hebt op een kind met een chromosomale afwijking. Er is geen verschil gevonden wat betreft grote, ernstige afwijkingen bij kinderen geboren na ICSI in vergelijking met de doorsnee bevolking. Wel worden er wat meer afwijkingen gevonden op het geslachtschromosoom van de embryo's.

Je kunt je afvragen waarom een man geen goede zaadcellen heeft. Is dat bijvoorbeeld omdat de meeste van zijn zaadcellen afwijkend genetisch materiaal bij zich dragen? Om zo min mogelijk risico te lopen wordt er bij elke man die een ICSI-behandeling zal krijgen voorafgaand aan de behandeling een chromosoomonderzoek gedaan. Ook kunnen jullie, als er inderdaad een zwangerschap is ontstaan, gebruikmaken van de mogelijkheid tot chromosoomonderzoek in de zwangerschap (*prenatale diagnostiek*).

Volgens sommige onderzoekers wordt er duidelijk meer afwijkend zaad gevonden bij gezonde mannen met slecht zaad dan bij gezonde vruchtbare mannen. En hoe zit het met de vruchtbaarheid van de kinderen die na ICSI worden geboren?

Nog een aandachtspunt als je het over aangeboren afwijkingen hebt is de vraag of er met *invriezen* iets beschadigt. Afgezien van het feit dat het succespercentage van bevruchten en innestelen minder groot is na ontdooien van zaad en embryo's, is er geen verschil gevonden in de percentages aangeboren afwijkingen.

Op dit gebied zijn er nog vele open vragen. Daarom is het heel goed om deze zaken met je arts te bespreken.

Er is een mogelijkheid om al heel vroeg te onderzoeken of het erfelijke materiaal van het embryo normaal is. Dat kan door middel van *pre-implantatiediagnostiek* (zie bladzijde 155).

Mogelijke zwangerschapscomplicaties

Na IVF heb je een beduidend grotere kans op een miskraam: 20–30% tegen de circa 15% die geldt voor een spontane zwangerschap. Ook een buitenbaarmoederlijke zwangerschap komt meer voor (3–5,5%). Innesteling op een onnatuurlijke plaats kan ook wat vaker een voorliggende placenta (moederkoek) tot gevolg hebben.

Of je meer kans hebt op een meerling is afhankelijk van het beleid van de kliniek waar je wordt behandeld: of ze één of meer embryo's tegelijkertijd terugplaatsen. In Amerika, het land van de grote getallen, werden in 2002 42 miljoen kinderen geboren. Van de kinderen die na IVF werden geboren was 63% een eenling, 32% hoorde bij een tweeling en 5% bij een drieling.

Meerlingzwangerschappen geven meer kans op vroeggeboorte en te kleine kinderen. Ook eenlingzwangerschappen na IVF hebben meer kans op deze zwangerschapscomplicaties. Zo heb je, als je zwanger bent van één (IVF-)kind, een tweemaal zo grote kans op vroeggeboorte vergeleken met iemand die spontaan zwanger is geworden van één kind. Bovendien zal je pasgeboren baby eerder kleiner en lichter zijn door groeivertraging dan kinderen die op de 'gewone' manier zijn ontstaan. Ben je na IVF zwanger van een tweeling, dan zal deze tweeling opmerkelijk genoeg niet lichter zijn of eerder worden geboren in vergelijking tot een spontane tweeling. Voor alle duidelijkheid: een tweeling, al dan niet ontstaan na IVF, geeft altijd meer kans op complicaties rond de zwangerschap in vergelijking met (spontaan of door middel van IVF verwekte) eenlingkinderen.Over de oorzaak van de verhoogde kans op complicaties bij IVF-eenlingen kan slechts gespeculeerd worden. Onderzoek naar menselijke embryo's is immers (op ethische gronden) aan banden gelegd. Komt het in het laboratoriumschaaltje groeihormonen tekort? Mist het op een andere manier bepaalde stoffen door deze dagen buiten het lichaam van de moeder? Of is het een bijeffect van de hormonale stimulatie van de moeder die nodig is om zo veel mogelijk eicellen in één cyclus te laten rijpen? De vraag is óf en wanneer hier een antwoord op gevonden zal worden.

Kinderen die iets te vroeg (en te licht) geboren worden hebben hier op latere leeftijd nauwelijks of geen last van. Die groeien hier letterlijk wel overheen. Maar de kinderen die voor de 32e week van de zwangerschap worden geboren, dus de kinderen die echt veel te vroeg worden geboren, zijn de zorgenkinderen. Na IVF heb je ook hier meer kans op: 2% tegen 0,7% bij kinderen na natuurlijke bevruchting.

Zeker is in ieder geval dat alle tweelingen een grote kans hebben om te vroeg en te klein geboren te worden. Daarom hoor je steeds meer artsen ervoor pleiten om nog maar één embryo terug te plaatsen: zo kun je in ieder geval een groot aantal IVF-meerlingen vermijden, hoewel er nog altijd een kans bestaat op een eeneiige tweeling.

> **Naar aanleiding van de discussie betreffende het terugplaatsen van een of twee embryo's is er recent een onderzoek gepubliceerd waaruit bleek dat er *geen verschil* was in het aantal behaalde zwangerschappen na terugplaatsing van één of twee embryo's. Wel bleek dat in de tweede groep veel meer kinderen te vroeg werden geboren en veel vaker opname op de couveuseafdeling nodig was.**

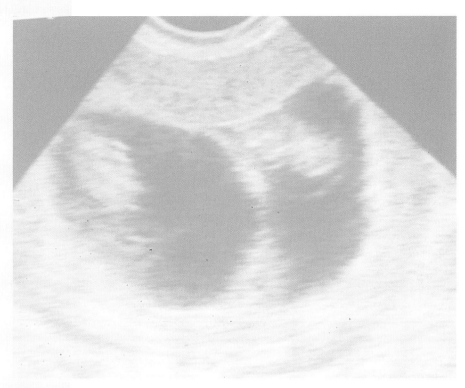

Echofoto van
een tweeling

De noodzaak om meer dan één embryo terug te plaatsen is kleiner geworden omdat de techniek van het invriezen van (goede) embryo's steeds beter en succesvoller is. Bijkomend voordeel is dat kinderen die na invriezen zijn geboren (ook wel 'cryobaby's' genoemd) vaak zelfs wat zwaarder zijn dan baby's geboren na natuurlijke bevruchting. Misschien omdat ze worden teruggeplaatst zonder dat de moeder hormoonstimu-latie nodig heeft?

De politiek speelt beslist een rol in de keuze om één of twee embryo's terug te plaatsen. Het besluit om de eerste IVF-behandeling niet te ver-goeden zal meer paren ertoe aanzetten om aan te dringen op het terug-plaatsen van twee in plaats van één embryo. Het zal dus ook een kostenoverweging worden, zowel vanuit de politiek als vanuit de gezond-heidszorg, maar zeker niet in de laatste plaats vanuit de patiënten zelf, die immers voor deze kosten dreigen op te draaien.

Onverklaarde vruchtbaar-
heidsproblematiek: in het kort

Bij ongewenste kinderloosheid wordt na onderzoek in *grofweg* 25% van de gevallen de meest waarschijnlijke oorzaak gevonden bij de vrouw en 25% bij de man. Bij 25% ligt de oorzaak bij beiden en in 25% van de gevallen wordt geen oorzaak gevonden.

Voor jou als vrouw bepaalt natuurlijk ook je leeftijd hoeveel geduld je kunt opbrengen om af te wachten. Omdat vruchtbaarheidsbehandelingen behoorlijk veel eisen, zowel lichamelijk als emotioneel, maar ook financieel, is het goed om rustig te overwegen wat te doen.

Als je jezelf drie jaar de tijd geeft om zwanger te worden (en er bij de onderzoeken niets afwijkends is gevonden) heb je niet minder kans om zwanger te worden dan als je wel iets doet.

Uit recente cijfers is gebleken dat je, bij onbegrepen kinderloosheid, een kans hebt van 1 tot 3% per cyclus om spontaan zwanger te worden. Als je als vrouw ouder bent dan 37 jaar verlaagt dat je kans tot minder dan 1% per cyclus.

Als er uiteindelijk toch wordt gekozen om te behandelen zijn er enkele mogelijkheden.

Het slikken van *clomifeen* verhoogt je kans op een zwangerschap tot 4% per cyclus. Er is wel een licht verhoogde kans op een meerlingzwangerschap. Ook heeft clomifeen bijwerkingen: opvliegers, stemmingswisselingen, hoofdpijn.

Een andere mogelijkheid is *IUI*. Dit verhoogt je kans op zwangerschap tot circa 5% per cyclus. Als IUI gecombineerd wordt met eisprongstimulerende medicatie (clomifeen of FSH), dan stijgt je kans tot 10% of meer per cyclus.

Na 6 maanden IUI zonder resultaat kun je uiteindelijk kiezen om door te gaan met *IVF*.

Pre-implantatie genetische diagnostiek (PGD)

Onderzoek op chromosomale afwijkingen bij het embryo

Het is mogelijk om het embryo al te onderzoeken op bepaalde afwijkingen vóórdat het wordt teruggeplaatst. Dat geeft de mogelijkheid om alleen gezonde embryo's terug te plaatsen waardoor je dus niet meer de afweging hoeft te maken of je een vlokkentest of vruchtwaterpunctie (met alle risico's van dien) zou willen als je eenmaal zwanger bent.

PGD kan alleen worden uitgevoerd bij bevruchting door middel van IVF of ICSI, omdat er dan sprake is van embryo's die makkelijk kunnen worden onderzocht: ze zijn immers nog buiten het lichaam in het kweekmedium.

Drie dagen na de bevruchting worden 1 of 2 cellen van het embryo (dat inmiddels 6 tot 10 cellen heeft) weggehaald voor chromosoomonderzoek. Dit kan, voorzover bekend, zonder dat het embryo daar schade van ondervindt. De cellen van het embryo die overblijven zijn zo veelzijdig dat die zich probleemloos kunnen doorontwikkelen tot een compleet vruchtje.

Het onderzoek kan zich richten op complete chromosomen, maar ook op delen hiervan. Zelfs een enkel afwijkend gen kan worden opgespoord door middel van DNA-onderzoek. Zo kan bijvoorbeeld het afwijkende gen dat verantwoordelijk is voor taaislijmziekte (*cystische fibrose*) worden gevonden.

Een gezond embryo heeft 23 paar chromosomen in elke cel. 23 heeft het van zijn (of haar) moeder gekregen, 23 van zijn vader. Elk chromosoom bestaat uit een grote keten genen met allerlei erfelijke informatie.

Elke cel die zich splitst verdubbelt voor de splitsing eerst het aantal chromosomen. Tijdens de celdeling worden ook de chromosomen weer gesplitst. Zo krijg je twee cellen met elk 23 paar chromosomen. Het is

> **PGD wordt nog niet veel toegepast. Het wordt alleen toegepast als er op voorhand bekend is dat er een sterk verhoogd risico bestaat dat het kind een bepaalde ernstige afwijking zal hebben.**
> **Het embryo wordt dan ook alleen op die afwijking onderzocht. Als je zo'n grote kans hebt op een afwijkend kind zou je even zoveel kans hebben dat je voor de nare keuze komt te staan om de zwangerschap af te breken. PGD kan dit dan voorkomen.**

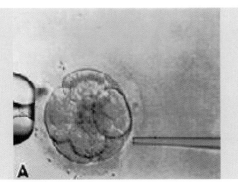
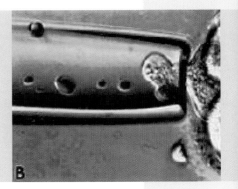

een ingewikkeld proces, dat lang niet altijd goed gaat. Dat is een heel belangrijke reden dat lang niet elke bevruchting tot een zwangerschap leidt, en lang niet elke zwangerschap tot een kind. Het is de meest voorkomende oorzaak voor een miskraam. Nuchter bekeken een gezonde selectie van de natuur dus.

Zo is het Downsyndroom een bekende afwijking: in plaats van 46 chromosomen is er één te veel: chromosoom 21 komt 3 keer voor. Als een chromosoom 3 keer voorkomt noem je dat een *trisomie*; het Downsyndroom wordt daarom ook wel *trisomie 21* genoemd.

Ook met het aantal van de geslachtschromosomen X en Y kan het misgaan: iemand kan in plaats van XX of XY de afwijkende combinatie XXX, XXY of XYY hebben.

Er kan meer aan de hand zijn met de geslachtschromosomen: bepaalde afwijkingen zijn 'geslachtsgebonden'. Ze komen op het X-chromosoom voor. Een gezonde X ernaast zorgt dat je als vrouw meestal alleen *draagster* bent van deze ziekte – zelf heb je er dan meestal geen last van. Wel heb je 50% kans dat je dit afwijkende chromosoom doorgeeft aan je kinderen. Een Y-chromosoom naast een afwijkend X-chromosoom resulteert in een jongetje waarbij de op het X-chromosoom voorkomende afwijking wél tot uiting zal komen.

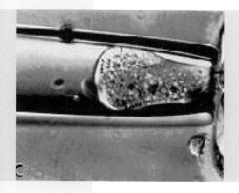
PGD: 1 à 2 cellen worden weggenomen bij het embryo voor chromosoomonderzoek

Een bekende geslachtsgebonden afwijking is het fragiele-X-syndroom: dit kan vooral bij jongens ernstige zwakzinnigheid veroorzaken.

Ook de ziekte van Duchenne, een ernstige spierziekte, is geslachtsgebonden. Hier is sprake van een fout in het dystrofine-gen. Deze afwijking is echter moeilijk op te sporen middels DNA-onderzoek omdat ze in zo veel 'gedaantes' ofwel mutaties voorkomt. Dat is de reden dat er bij een PGD die gedaan wordt vanwege deze ziekte ook wel geslachtsbepaling wordt gedaan. Zo kun je ervoor kiezen om alleen de meisjesembryo's terug te plaatsen, omdat meisjes vrijwel altijd beschermd zijn door het gezonde X-chromosoom.

PGD zou gebruikt kunnen worden om de beste embryo's te selecteren na elke IVF/ICSI-behandeling. Het idee is dat je kansen op een (goede) zwangerschap dan worden verhoogd. Dit is een optie voor de toekomst, misschien. Voorlopig zijn niet alle onderzoekers het erover eens of dit zinvol is.

Op dit moment kan PGD in Nederland alleen in Maastricht gedaan worden. Men is daar gestart in 1995. In totaal hebben inmiddels 92 paren deze behandeling ondergaan. Er zijn nu ongeveer 30 baby's geboren, allemaal zonder afwijking. Deze cijfers geven wel aan dat de ervaring met deze techniek nog beperkt is.

De embryowet

De ontwikkeling van voortplantingstechnieken gaat zo snel en kan zo drastisch ingrijpen in de natuurlijke gang van zaken, dat het vaak aanleiding geeft tot heftige, ethische discussies.

Het ontstaan van leven buiten de moederschoot kan jullie voor grote, onvoorziene dilemma's plaatsen. De ontdekking dat embryonale stamcellen kunnen uitgroeien tot wat je maar zou willen geeft een zee aan potentiële genezingsmogelijkheden. Er wordt bijvoorbeeld gespeculeerd dat onderzoek met embryo's een geneesmiddel kan opleveren tegen ernstige ziektes zoals Parkinson of Alzheimer.

> **De één doet juichend mee met alle zaken die mogelijk (beginnen te) worden, de ander voelt grote aarzelingen: moet echt alles wat kan?**

Het kan niet anders of de wetgeving liep, nadat de behandelingsmethode IVF mogelijk was geworden, enigszins achter de feiten aan. Uiteindelijk is er, na veel discussie, toch een wet van de grond gekomen om het een en ander te reguleren. Deze wet is op 1 september 2002 van kracht geworden.

De embryowet in grote lijnen

De embryowet verbiedt het onder andere om mensen te klonen, om mens-diercombinaties te maken en om het geslacht te kiezen (met uitzondering van de gevallen waarbij er sprake is van een ernstige geslachtsgebonden erfelijke aandoening). Ook mag er niets veranderd worden aan het erfelijke kernmateriaal van geslachtscellen (eicel of zaadcel) of embryo's.

Wel mogen zaadcellen, eicellen of embryo's gebruikt worden voor iemand anders (donatie) of gebruikt worden voor wetenschappelijk onderzoek. Bovendien mogen embryonale stamcellen gekweekt worden. Sta er eens bij stil wat je zou doen als aan jullie gevraagd wordt of de embryo's die jullie niet meer nodig hebben gebruikt mogen worden voor onderzoek. Gaan jullie daarmee akkoord? Of willen jullie liever dat ze vernietigd worden? Jullie toestemming voor onderzoek is in ieder geval nodig. Als jullie niet instemmen, worden de overtollige embryo's vernietigd.

Er is een landelijke ethische toetsingscommissie opgericht: de Centrale Commissie Mensgebonden Onderzoek (CCMO) die aan dergelijke onderzoeken vooraf haar toestemming moet geven.

Er mogen geen embryo's gekweekt worden puur en alleen om wetenschappelijk onderzoek mee te doen. Dit is uit respect voor het menselijk leven.

De embryowet gaat ook in op eiceldonatie; zie hiervoor bladzijde 161.

Het bewaren van embryo's

Ook heeft men zich gebogen over een praktische vraag: hoe lang mogen embryo's bewaard worden? Uiteindelijk is als uitgangspunt een periode van 5 jaar genomen, omdat binnen deze termijn meestal wel duidelijk is geworden welke keuzes zijn gemaakt met betrekking tot het gebruik of vernietiging van de ingevroren embryo's.

Het is de bedoeling dat er vooraf met jullie een modelovereenkomst wordt doorgesproken en ondertekend betreffende het bewaren van eventuele overtollige embryo's.

Met het doornemen van alle bijzondere omstandigheden die zich kunnen voordoen kom je uiteindelijk ook op de mogelijkheid dat één van jullie kan komen te overlijden. Wat gebeurt er dan met de embryo's? Wat gebeurt er met het ingevroren zaad of, in de toekomst eventueel, met ingevroren eicellen?

De embryowet stelt dat alles moet worden vernietigd als bekend wordt dat de betrokkene is overleden, tenzij deze uitdrukkelijk schriftelijk toestemming heeft gegeven voor gebruik na zijn of haar overlijden. De commissie geeft aan dat bij voorkeur in de bewaarovereenkomst moet worden opgenomen wat er met het 'materiaal' moet gebeuren in geval van overlijden. Het advies is om ervan uit te gaan dat het niet voor voortplantingsdoeleinden wordt gebruikt na overlijden, tenzij jullie schriftelijk hebben aangegeven daar nadrukkelijk toestemming voor te geven. Handel in eicellen of zaadcellen is in Nederland wettelijk verboden.

Donorzaad en -eicellen

Zaad van een andere man

In sommige gevallen zal inseminatie met donorzaad (KID – zie bladzijde 127) gekozen worden om een zwangerschap tot stand te brengen. Dat kan bijvoorbeeld zijn omdat er bij jou als man weinig of geen aanmaak van zaadcellen is of omdat er sprake is van een ernstige erfelijke aandoening. Ook kunnen jullie hiertoe besluiten wanneer alle vergaande technieken die mogelijk zijn als er sprake is van slecht zaad jullie echt te ver gaan. Dit kunnen heel goede redenen zijn om over het (veelal emotionele) bezwaar van donorzaad heen te stappen.

Sinds juni 2004 is de nieuwe wet donorgegevens kunstmatige bevruchting van kracht geworden. Deze regelt dat van iedere donor die na 1 juni 2004 zaad heeft gedoneerd, naast erfelijke gegevens en eventueel sociale leefomstandigheden ook de identiteit wordt vastgelegd (zie ook bladzijde 163). Dat heeft geleid tot een dramatische daling van het aantal donoren. De angst van deze mannen dat ze na vele jaren geconfronteerd worden met kinderen die op zoek zijn naar hun herkomst weerhoudt velen om zaad af te staan.

> **Anoniem donorzaad is niet (meer) verkrijgbaar.**

Als je als vrouw een vrouwelijke partner hebt, kan inseminatie met donorzaad een goede manier voor jullie zijn om binnen je lesbische relatie een kind te krijgen. Het kan zijn dat je zelf iemand kent die als spermadonor wil optreden, maar het kan ook dat jullie er de voorkeur aan geven om het sperma via een spermabank te krijgen.

De zaaddonor wordt in Nederland uitgebreid medisch gekeurd. Hij moet volledig gezond zijn. Er mogen bovendien geen erfelijke ziekten in de familie voorkomen. De donor wordt ook getest op tal van seksueel overdraagbare aandoeningen. Zo wordt hij o.a. getest op antistoffen tegen aids, hepatitis B en C, syfilis en chlamydia. De donor moet tussen de 18 en 45 jaar zijn. Je kunt ervan op aan dat er duidelijke kwaliteitseisen zijn gesteld aan donorzaad.

De kans dat je zwanger wordt binnen een jaar is 66%. Anders gezegd: van de vrouwen die KID ondergaan is tweederde zwanger binnen een jaar.

Een eicel van een andere vrouw

Als je eierstokken niet goed meer werken bestaat er de mogelijkheid om te proberen zwanger te worden met behulp van een eicel van een andere vrouw.

Oorspronkelijk was dit als oplossing bedacht voor vrouwen die (veel) te vroeg in de overgang waren geraakt of voor vrouwen die een ernstige erfelijke ziekte in de familie hebben en geen risico willen lopen dat ze dit doorgeven aan hun kinderen. Nu komen ook vrouwen hiervoor in aanmerking die te weinig eicellen blijken te hebben en waarbij eicelstimulatie niet lukt.

In sommige landen wordt (wettelijk) geen leeftijdsgrens gesteld en worden oudere vrouwen die al in de overgang zitten niet uitgesloten (Italië!). In Nederland wordt wel een leeftijdsgrens aangehouden: 45 jaar.

De vrouw die de eicel zal afstaan moet minimaal 18 jaar zijn en bij voorkeur niet ouder dan 34 jaar omdat daarna de kans op zwangerschap afneemt en je voor de keuze van prenatale diagnostiek komt te staan. Een hogere leeftijd brengt nu eenmaal meer kans op chromosomale afwijkingen met zich mee. Ook is de kans dat een eventuele zwangerschap eindigt in een miskraam kleiner als de eicel van een jongere vrouw afkomstig is.

Hiernaast is het heel wenselijk dat de kinderwens van de eicel*donor* al is vervuld. Stel je toch eens voor dat er onverhoeds een complicatie optreedt bij de IVF behandeling waardoor ze zelf geen kinderen meer zou kunnen krijgen.

Omdat de vrouw die een eicel aan jullie wil afstaan zo'n ingrijpende procedure (IVF) moet doorlopen, zal dat in Nederland nooit zomaar een vreemde zijn. Meestal is ze dan ook een heel goede vriendin of een familielid. Juist omdat jullie elkaar zo na staan is het wel belangrijk dat er voorafgaand aan de behandeling, samen met de behandelaars, uitgebreid gesproken wordt over alle ins en outs van de behandeling. Als dit zorgvuldig gebeurt, zijn er nauwelijks relationele of emotionele problemen te verwachten, zo blijkt uit onderzoek.

De donor, de vrouw die de eicel afstaat, doorloopt de IVF-procedure tot en met de follikelpunctie. Hiermee heeft ze ook dezelfde risico's en bijwerkingen als elke andere vrouw die een dergelijke behandeling ondergaat. Het zaad is meestal van jou als aanstaande vader. Een paar zaadcellen is voor ICSI al genoeg, maar als je helemaal geen zaadcellen hebt of als er op genetische gronden een reden is om je zaad niet te gebruiken kan er ook donorzaad worden gebruikt.

Bij jou als aanstaande moeder en ontvanger (acceptor) van de eicel is het zaak om je cyclus zo te regelen dat die gelijkloopt met de cyclus van de vrouw van wie de eicel zult ontvangen: de eiceldonor. Eicellen kunnen (nog) niet worden ingevroren, en als er een embryo is ontstaan dankzij de IVF-procedure, dan heb je de meeste kans op zwangerschap als het embryo direct geplaatst kan worden in je baarmoeder. Bovendien moet je baarmoederslijmvlies goed genoeg voorbereid zijn zodat het embryo zich kan innestelen. Dat gebeurt met behulp van de hormonen progesteron en oestrogeen.

Ook eiceldonoren worden getest op de infectieziekten HIV en hepatitis B en C.

Jij als ontvanger loopt alleen de risico's die je leeftijd met zich meebrengt met betrekking tot de zwangerschap. Het is een gegeven dat bij eiceldonatie de meeste zwangeren niet meer zo jong zijn (wat dan ook de reden kan zijn dat je niet zwanger kunt worden).

Als je ouder bent, heb je in de zwangerschap meer kans op hoge bloeddruk, zwangerschapssuiker en ook groeivertraging bij het ongeboren kind. Voornamelijk hierdoor heb je ook een verhoogde kans dat je zult bevallen door middel van een keizersnede.

> **Onafhankelijk van jouw leeftijd als wensmoeder, maar wel afhankelijk van de leeftijd van de donor, heb je met eiceldonatie na 3 cycli 30 tot 50% kans dat je een kind ter wereld brengt.**

Eiceldonatie gebeurt niet zo heel veel. In de VS zijn er per jaar 6500 IVF-procedures met donoreicellen. Toch zijn de resultaten heel gunstig: het feit dat de gebruikte eicel vaak van een jonge(re) vrouw is, speelt hierin een belangrijke rol.

Wetgeving betreffende eiceldonatie

In de embryowet zijn ook bepalingen opgenomen met betrekking tot eiceldonatie. Zoals hiervoor al gezegd, is er een maximumleeftijd gesteld voor degene die het eitje ontvangt: de *acceptor*. Je mag als acceptor niet ouder dan 45 jaar zijn. Als donor, degene die de eicel afstaat, moet je minimaal 18 jaar zijn.

Nu is er een commissie opgericht die een (praktische) handleiding voor gynaecologen heeft uitgewerkt. Deze commissie bestaat uit gynaecologen, medewerkers van het ministerie van VWS, een ethicus, een psycholoog en een embryoloog. Deze commissie heeft geadviseerd dat de minimumleeftijd van een donor bij voorkeur hoger moet zijn dan 30 jaar en maximaal 40. Bovendien vindt de commissie het wenselijk dat een eiceldonor zelf een voltooid gezin heeft. Dit alles wordt gesteld omdat er een (heel kleine) kans is dat er bij de eicelpunctie een infectie optreedt. Deze infectie kan zorgen voor verklevingen waardoor de donor zelf problemen met zwanger worden zou kunnen krijgen.

Wet donorgegevens kunstmatige bevruchting

Per 1 juni 2004 is er een nieuwe wet die donorkinderen het recht geeft hun afstamming te leren kennen. Daarvoor is een stichting opgericht (de Stichting Donorgegevens) die de gegevens van donoren in een centraal register 80 jaar lang zal bewaren.

Er is bepaald dat zodra bij jullie een kind wordt geboren dankzij donorzaad of een donoreicel, je arts (of de kliniek) de gegevens van de donor aan deze stichting zal doorgeven.

De donorgegevens (dus van degene van wie jullie zaad of een eicel hebben gekregen) die zullen worden doorgegeven zijn:
− persoonsidentificerende gegevens: voor- en achternaam, geboortedatum, adres en woonplaats.
− medische gegevens, bijvoorbeeld erfelijke gegevens, bloedgroep;
− lichamelijke (fysieke) gegevens als gewicht, kleur haar, kleur ogen;
− sociale gegevens als opleiding, karakter, leefsituatie.

Tot juni 2004 kon een donor bepalen dat hij/zij niet wilde dat deze gegevens ooit zouden worden doorgegeven. Nu kan dat niet meer: als de donor anoniem wil blijven, moet het argument hiervoor wel heel erg zwaarwegend zijn. In principe wordt meer waarde gehecht aan de mogelijke belangen van het kind.

Verder is ook bepaald wie welke gegevens kan opvragen. Zo kan alleen een arts medische gegevens opvragen, maar kan het kind zelf vanaf 12 jaar lichamelijke en sociale gegevens opvragen. Pas als het kind 16 jaar is kan hij of zij de identiteit van de donor opvragen.

Als ouders van het 'donorkind' kunnen jullie de fysieke en sociale gegevens van de donor opvragen als het kind jonger is dan 12 jaar.

> **Deze nieuwe wet met betrekking tot donorgegevens is er de oorzaak van dat er veel en veel minder spermadonoren zijn dan vroeger. Waren er in 1990 nog 900, in 2002 was het aantal donoren geslonken tot 140.**

De eerste logeerpartij

Hoogtechnologisch draagmoederschap in Nederland

S. M. Dermout

Een draagmoeder

Het kan zijn dat jij als vrouw niet zwanger kunt worden omdat je baarmoeder verwijderd is, bijvoorbeeld omdat je kanker hebt gehad. Dat moet een drama voor je zijn (geweest): wetend dat in de strijd tegen deze ernstige ziekte je toekomstplannen ingrijpend zullen worden gewijzigd. Geen eigen kinderen. Maar je moet toch allereerst overleven.

Bij de behandeling van kanker kunnen de artsen proberen om je eierstokken te beschermen, bijvoorbeeld door ze, vóór de bestraling, te verplaatsen naar een plaats in je lichaam waar ze minder kans hebben om beschadigd te worden door de radiotherapie. Maar ja, wat dan? Wel eierstokken maar geen baarmoeder. Hoe kun je dan nog een kind krijgen?

Er is nog een andere reden waarom het kan zijn dat het voor jou niet weggelegd is om ooit zwanger te worden. Dat is als de zwangerschap zelf zo'n enorme belasting is voor je lichaam dat het levensbedreigend voor je zou zijn. Ook dan sta je met je rug tegen de muur.

Een ander groot probleem kan bestaan als iemand miskraam op miskraam op miskraam doormaakt. Zwanger worden is dan geen probleem, maar zwanger blijven lukt niet. In medische termen wordt dit *habituele abortus* genoemd. Vaak wordt hier geen enkele oorzaak voor gevonden. Wat kun je in dat geval nog doen?

De ultieme hulp die je in deze omstandigheden kunt krijgen om toch een kind te krijgen is als een andere vrouw jullie wil helpen. Zij kan haar baarmoeder aan jullie ter beschikking stellen. Dat kan door middel van draagmoederschap.

Draagmoederschap komt niet veel voor in Nederland. Dat is niet verwonderlijk, want het is iets heel ingrijpends: de draagmoeder is bewust zwanger van een kind terwijl ze bij voorbaat al heeft afgesproken dat ze het zal afstaan aan iemand anders: de wensmoeder c.q. de wensouders. Het is niet alleen in emotioneel opzicht een enorme beslissing voor alle partijen, maar ook juridisch zitten er allerlei haken en ogen aan – om over de ethische aspecten nog maar te zwijgen. Daarom zijn er tal van strikte regels voor, en zal meestal pas voor deze manier van een kind 'krijgen' worden gekozen als er geen enkele andere mogelijkheid (meer) is.

De draagmoeder zal dan ook hoogstwaarschijnlijk iemand zijn waar jullie een heel goede band mee hebben: een dierbare zus of bijzonder goede vriendin.

Commercieel draagmoederschap is in Nederland verboden. Hiervan is sprake als een vrouw haar lichaam puur om financiële redenen 'verhuurt' aan de wensouders. Een contract dat je in dat geval zou opstellen heeft dan ook juridisch geen enkele waarde. Daarnaast kan iedereen die met commercieel draagmoederschap te maken heeft gehad zelfs in de gevangenis terechtkomen. 'Iedereen' wil zeggen echt *iedereen* die ermee te maken heeft gehad: de wensouder(s), de draagmoeder en eventueel haar partner, maar ook de eventuele bemiddelaar(s).

Bij draagmoederschap komen veel aspecten aan de orde waarmee je vooraf geen rekening kunt houden. Je kunt de bezwaren en conflicten die je tegen kunt komen vooraf echt niet allemaal overzien. Jullie niet, als wensouders die zo graag een kind willen, maar ook de draagmoeder en haar eventuele partner niet. Daarom is een heel belangrijke aanvulling op de professionele medische begeleiding dan ook begeleiding door een team met bijvoorbeeld een psycholoog en een ethicus die hierin gespecialiseerd zijn.

Als de potientiële draagmoeder vooral commerciële motieven heeft, dan kun je al helemaal op onvoorziene omstandigheden stuiten: het financiële aspect speelt een te belangrijke rol. Zakelijke afwegingen worden gemaakt. Wat gebeurt er als het kind niet gezond is? Je wilt immers waar voor je geld? En stel dat de prijs wordt verhoogd? Waar houdt het op?

Het is een lastig onderwerp. En een onderwerp dat beslist de fantasie en discussie prikkelt, getuige de diverse (Amerikaanse) films over dit onderwerp.

In Nederland is er wel enige ruimte voor *ideëel* draagmoederschap. Dat is het geval als iemand op ideële grond, dus puur om een ander te helpen, zwanger wil zijn voor een andere vrouw. Als de ander zo veel voor je overheeft, als je zo belangrijk bent voor haar dat ze deze ultieme hulp wil geven, dan kan het bijna niet anders of ze is wel een heel erg goede vriendin of zus (of misschien moeder?) van je.

Halftechnologisch draagmoederschap

Halftechnologisch draagmoederschap is de bekendste vorm: de draagmoeder wordt zwanger doordat haar eigen eicel via inseminatie wordt bevrucht met het zaad van jou als wensvader. Direct na de geboorte staat ze het kind aan jullie af. Dan is het kind dat jullie uiteindelijk krijgen genetisch voor de helft (van vaderskant dus) van jullie zelf. Wanneer ook bij jou als wensvader problemen op het gebied van vruchtbaarheid bestaan, kan donorzaad worden gebruikt. In dat geval zijn jullie als wensouders geen van beiden genetische ouder van het kind.

Hoogtechnologisch draagmoederschap

Als je goed functionerende eierstokken hebt kunnen jullie zelf door middel van de IVF-techniek wel tot het embryostadium komen, omdat hier geen baarmoeder voor nodig is. Als dat embryo bij een andere vrouw wordt geplaatst om zich verder te ontwikkelen kunnen jullie uiteindelijk toch een genetisch eigen kind krijgen.

Deze andere vrouw, officieel de draagmoeder, is dan in feite de 'couveusemoeder' voor jullie ongeboren kind.

Het is geen vanzelfsprekend vervolg op de andere vruchtbaarheidsbehandelingen die er bestaan. Er zijn hoge kosten aan verbonden en de medische en emotionele belasting kan zwaar zijn, zowel voor de wensals voor de draagmoeder. Ook kun je niet voorbijgaan aan de juridische en ethische aspecten. Deze zullen mogelijk het grote struikelblok vormen voor beleidsmakers en anderen die hun medewerking aan hoogtechnologisch draagmoederschap moeten verlenen zodat het kan worden uitgevoerd.

Zoals eerder gezegd is het technisch goed mogelijk. Er is ook gedegen onderzoek naar gedaan in Nederland om te kijken of het werkelijk uitvoerbaar is zonder dat er grote problemen ontstaan op welk vlak dan ook. Hiervoor zijn, na heel strenge selectie, 28 wensouders samen met 28 draagouders begonnen aan het volledige traject om op deze manier een kind proberen te krijgen. Deze paren zijn op alle vlakken zorgvuldig begeleid.

De resultaten, die gepubliceerd zijn in een proefschrift, waren zeer bemoedigend. Er is gekeken naar de medische, ethische, juridische maar ook emotionele aspecten. Dit proefschrift, geschreven door dr. Sylvia Dermout, is treffend getiteld: *De eerste logeerpartij – hoogtechnologisch draagmoederschap in Nederland*.

De gynaecologenvereniging, verschillende gynaecologen in een paar IVF-centra en ook (bepaalde) zorgverzekeraars waren bereid om 'het licht op groen te zetten'. Zelfs de minister van VWS was zover om een positief advies te geven over deze laatste kans om een kind te krijgen. Frustratie en ongeloof ontstond er toen medio 2004 bleek dat geen enkele IVF-kliniek in Nederland bereid was om hieraan mee te werken. Bij sommige klinieken liep het stuk op de aldaar werkzame gynaecologen, bij andere weigerden de Raden van Bestuur. Het waarom is onduidelijk – een goede motivatie van deze weigering werd niet gegeven.

Waar zorgvuldig en integer onderzoek naar was gedaan, waar zo veel energie en tijd in was gestopt, de laatste strohalm van diverse wensouders: het is helaas niet gelukt om hoogtechnologisch draagmoederschap tot een reële optie te maken in de lange lijst van vruchtbaarheidsbehandelingen in Nederland.

Ook het buitenland biedt geen soelaas: daar is het eveneens een bijzonder moeizame zaak. Van een enkele staat in de VS is bekend dat het daar kan, maar dat zou betekenen dat jullie (wensouders zowel als de draagmoeder) enkele maanden daar zouden moeten verblijven. En dan nog is het een lastige zaak: ook met betrekking tot de adoptie zou je op grote problemen kunnen stuiten.

Tijden veranderen. Misschien dat hoogtechnologisch draagmoederschap ooit wél een geaccepteerde manier wordt om een genetisch eigen kind te krijgen als alle andere methodes geen soelaas hebben geboden.

Maar nu, op dit moment, is dit nog een dood spoor.

Uitwijken naar het buitenland

De Nederlandse politiek heeft regels opgesteld om uitwassen te voorkomen. Technisch kan er een heleboel, maar hoe ver kun je gaan – hoe ver wil je gaan? Wat is ethisch verantwoord?

Uiteindelijk heeft ieder land zijn eigen regels opgesteld. In het ene land heb je andere leeftijdsgrenzen voor IVF dan in het andere land. Een duidelijk voorbeeld is Italië: daar zijn geen wettelijke beperkingen betreffende de leeftijd van de vrouw die een IVF-behandeling wil ondergaan. En waar je in Nederland geen gebruik kunt maken van de MESA- en TESE-techniek, kan dat in België weer wel.

Commercieel draagmoederschap mag in de meeste Europese landen niet, maar in bepaalde klinieken, bijvoorbeeld in Spanje, kun je wel eicellen kopen: verkregen van jonge vrouwen die zo een bijverdienste hebben.

Sommige wachtlijsten zijn veel korter in het buitenland, bijvoorbeeld als je donorzaad wilt hebben. In Nederland is na de invoering van de nieuwe donorwet het aantal zaaddonoren sterk afgenomen. In sommige andere landen mag een donor echter nog anoniem blijven, en krijgen ze soms zelfs een vergoeding voor het geven van zaad. Dat kan de reden zijn dat elders meer donoren zijn (en dus kortere wachtlijsten).

Als je hier in Nederland tegen beperkingen oploopt, kan het dus zinvol voor je zijn om eens over de landsgrenzen heen te kijken. Het internet kan je zeer behulpzaam zijn, zeker om je te oriënteren.

Soms kun je bepaalde behandelingen voor een deel in een Nederlandse kliniek ondergaan, terwijl de specialist in bijvoorbeeld België het deel van de behandeling op zich neemt dat je in Nederland niet (zomaar) voor elkaar krijgt.

Velen zijn je al voorgegaan: 5% van de paren die in België een IVF-behandeling ondergaan heeft de Nederlandse nationaliteit.

Als je je heil wilt zoeken in het buitenland, moet je wel heel goed alle financiële consequenties op een rijtje zetten. De behandelingen zijn meestal een stuk duurder dan in Nederland. Over het algemeen kun je in het buitenland wel het een en ander voor elkaar krijgen, maar daar moet je dan flink voor betalen. Het is dus belangrijk om te weten dat de meeste verzekeraars daar weinig tot niets van zullen vergoeden. De enige manier om financieel iets te verhalen zou via ziektekostenaftrek van de belasting kunnen zijn.

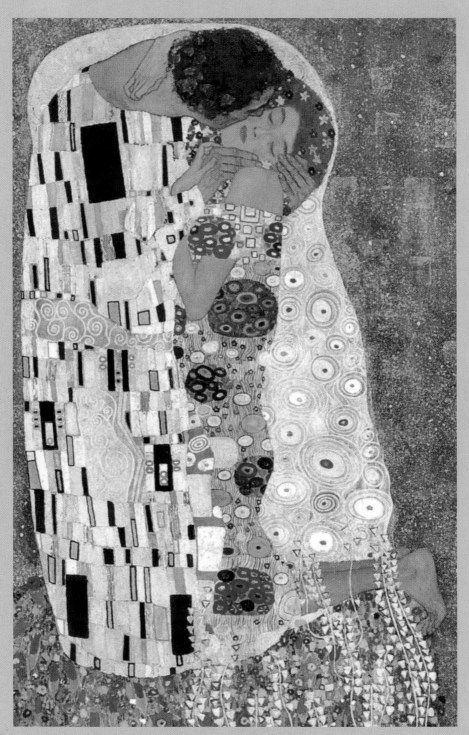

Gustav Klimt (1862 – 1918) *The Kiss*

10

Als het uiteindelijk niet lukt

om een (eigen) kind te krijgen

Stoppen
– overwegingen en twijfels

Het laatste hoofdstuk voor jullie. Is het een lange weg van het ene vruchtbaarheidsonderzoek na het andere? Na een heleboel behandelingen? Of stappen jullie al eerder uit deze voortdenderende trein?

Als er één ding duidelijk is, dan is het wel dat het bijzonder veel van jullie vraagt om te zeggen 'Stop, niet verder'. Want al heel gauw kan de twijfel de kop opsteken. Stel je voor, als ik dat nog probeer en het is net genoeg om zwanger te raken... Je wilt vooral niet achteraf spijt hebben dat je wellicht een kans hebt laten liggen. Kun je het wel: definitief stoppen met proberen, er werkelijk een punt achter zetten?

Jullie zullen niet de eersten zijn die, voordat 'zwanger worden' een probleem dreigt te worden, zich niet voor kunnen stellen dat ze ooit zover zullen gaan dat ze in de medische molen stappen. En die reageerbuismethode om zwanger te raken, nee, dat gaat echt te ver...

Maar het is een glijdende schaal. Eerst gaat het knagen dat het wel erg lang duurt voor je zwanger wordt. Daarna ga je bedenken wat er toch mis kan zijn: misschien is het maar een kleinigheid. Het zou toch jammer zijn als het werkelijk makkelijk te behandelen was. En dan de verhalen van anderen...

Vreemd toch dat, op het moment dat jullie bewust het besluit nemen samen kinderen te willen krijgen, dat hoe langer het duurt, je je er des te meer in vastbijt. Alsof je een knop hebt omgezet. Je leven lijkt minder compleet, terwijl jullie het vóór die tijd toch zeker goed hadden samen? Aan de ene kant kan het onwerkelijk voelen dat je ooit kinderen van jezelf zult hebben, aan de andere kant zul je bijzonder teleurgesteld zijn als juist jullie ongewenst kinderloos blijven.

Ergens wil je misschien het allerliefst dat een arts zegt dat je niet zwanger kunt worden om die en die reden. Dat zal verschrikkelijk nieuws zijn:

nieuws dat je niet wilt horen. Maar het kan je uiteindelijk ook rust geven: het biedt geen hoop, het is hard maar helder, dus zul je je erbij neer moeten leggen.

De meest onbevredigende situatie ontstaat als artsen niets bij jullie kunnen vinden. Er is niets aanwijsbaar 'fout', noch bij jou, noch bij je partner. Sommige behandelingen kunnen in dat geval misschien succes hebben. Maar als succes uitblijft, wanneer houd je dan op? Soms moet je wel stoppen omdat je zorgverzekeraar niets meer vergoedt. Dan kun je eventueel nog enkele vakanties opofferen, maar hoe vaak moet je dat dan doen? Inmiddels gaat je leven toch ook verder. Je moet oppassen dat er niets anders meer voor je bestaat dan het bezig zijn om zwanger te worden.

Je omgeving

Ook jullie omgeving speelt een rol. Veel paren zullen er, zeker in de beginfase, niet openlijk voor uitkomen dat ze 'bezig' zijn. Aan de andere kant kan het toch makkelijker zijn als je hier, als het wat langer gaat duren, wél open over bent. Vrienden in je omgeving krijgen kinderen. Hoe vaak zul je niet naar je hoofd geslingerd krijgen dat jullie toch echt kinderen moeten 'nemen', omdat dat zo geweldig is? Een enkeling zal een waarschuwend vingertje naar je opheffen dat je biologische klok toch wel erg dreigend gaat tikken.

Pijnlijk is dat. Maar pijnlijk is het ook als vrienden, bekend met jullie ongewenste kinderloosheid, het erg moeilijk vinden om jullie te betrekken bij hun zwangerschap en de geboorte van hun kinderen. Je kunt je buitengesloten voelen. Maar de confrontatie met andermans geluk: lukt dat? Wat weegt zwaarder?

'Ze' bedoelen het goed maar zijn soms o zo onhandig. Wat heb je eraan als een vriendin verzucht dat je blij mag zijn dat jij je handen tenminste nog vrij hebt – dat jullie nog kunnen gaan en staan waar jullie willen. Met recht een wat kortzichtige opmerking, want jullie zouden toch zo graag je nachten willen opofferen voor zo'n klein wurmpje van jezelf.

Je kunt, gevraagd en ongevraagd, vele (goedbedoelde) adviezen krijgen. Zoals bijvoorbeeld andere adressen van vruchtbaarheidsklinieken omdat de succeskansen daar hoger zouden zijn. Dat kan je ertoe verleiden om te gaan 'shoppen' van de ene behandelaar naar de andere. Dat kost minimaal nog eens zoveel energie, terwijl het maar de vraag is of dat wat oplevert.

Natuurlijk heb je de mensen om je heen nodig, de mensen die je heel erg na staan. Geef ze dan ook de kans en de ruimte om je te troosten. Misschien kunnen ze een buffer zijn voor je boosheid en verdriet?

Jullie relatie

Waar jullie je bewust van moeten zijn, is dat je relatie ernstig kan lijden onder een lange periode die alleen nog maar in het teken lijkt te staan van een kind proberen te krijgen. Ging het vrijen aanvankelijk nog met plezier – als je jaren bezig bent met kalenders en timen dan wil de lol er toch wel eens af gaan.

Neem tussen de behandelingen door rustpauzes. Zorg regelmatig voor een time-out. Even afstand nemen van het zwanger worden en 'gewoon' weer onbezorgd tijd en aandacht voor elkaar hebben. Een rustig weekeind weg kan je goeddoen.

Het is beslist ook lastig, als jullie niet op één lijn lijken te zitten. Is het echt zo dat het de ander minder kan schelen, de situatie zoals die nu is? Feit is dat de één nu eenmaal makkelijker over gevoelens en zorgen kan praten dan de ander. Misschien is het goed om dat eens te benoemen en proberen elkaar daarin te respecteren. En het kan natuurlijk zo zijn dat je die lange weg alleen maar gaat omdat de ander dat zo graag wil. Wat mag je van elkaar verwachten?

Op het moment dat jullie uit elkaar dreigen te groeien, zul je misschien bewust een keuze moeten maken hoe jullie hiermee omgaan. Misschien is het beter met de behandelingen te stoppen omdat jullie relatie eraan onderdoor dreigt te gaan. Of je besluit dat het veel belangrijker voor je is om door te gaan met proberen om een kind te krijgen. Wees je er dan wel van bewust dat de verwijdering die mogelijk tussen jullie is ontstaan op een gegeven moment niet meer te lijmen is. Mocht je denken dat door de komst van het langverwachte kind alles weer goed komt, bedenk dan dat een kind eerder een toegevoegde belasting is voor een relatie. En vooral dat een kind nooit de functie mag en kan hebben om een relatie te redden.

De druk van de behandeling

De behandeling zelf trekt een forse wissel op je lichaam en welbevinden. Misschien lijkt het dat anderen die deze weg doorlopen het zo veel gemakkelijker doen. Dat is maar schijn. Ook anderen valt het zwaar.

Bespreek in ieder geval met elkaar en met je behandelaars al je twijfels en bedenkingen. Nogmaals, jullie zijn niet de enigen die het zwaar valt, dus de behandelaars zullen begrip voor jullie kunnen en moeten opbrengen. Mogelijk dat jullie baat vinden bij een psycholoog of maatschappelijk werker. Zij zijn een vast onderdeel van het behandelteam bij iedere fertiliteitskliniek.

Wat je ook kan helpen, is het gevoel dat je inspraak hebt in de behandeling. Het is niet zo dat je alles wat je voorgelegd wordt maar moet ondergaan. Het kan lastig voor je zijn om je vragen en twijfels te uiten. Nog vervelender is het echter als je 's nachts in je bed ligt te piekeren omdat je je er niet goed bij voelt.

Neem de tijd om samen keuzes te maken. Dat hoeft niet tijdens een consult al. Je hebt altijd de mogelijkheid om daar later even rustig over na te denken. Zorg dat zowel jij als je partner volledig achter de dingen staan die gaan gebeuren.

Tot je al het gedoe aan je lichaam misschien opeens spuugzat bent…

De beslissing om te stoppen

Wat een stap: stoppen met proberen zwanger te worden. Dat betekent (waarschijnlijk) voorgoed afscheid nemen van zwangerschap en geboorte. En bovenal een essentieel hoofdstuk van je leven wegstrepen: geen (eigen) kinderen.

Dit besluit is bijzonder moeilijk om te nemen. Misschien is het voor jullie duidelijk tot hoever je wilt gaan. Als je een bepaalde grens bereikt hebt, houdt het voor jullie op. Ook als je met veel andere dingen in je leven bezig bent die je ook belangrijk vindt, dan zal het verdriet er toch niet minder om zijn.

Sommigen hebben altijd gedacht dat ten minste een deel van hun leven besteed zou worden aan het op laten groeien en opvoeden van kinderen. Naast de machteloosheid en verdriet dat het niet wil lukken loert ook het grote gat. Dat is nog een reden waarom het moeilijk zal zijn om definitief te stoppen met behandelingen.

> De twijfelperiode van wel of niet doorgaan is misschien het zwaarst. Als je eenmaal echt definitief je besluit hebt genomen om te stoppen, kan dat ook een enorme opluchting betekenen. Dan kunnen jullie (eindelijk) beginnen met het verdriet een plekje te geven.

En daar sta je, met al je fantasieën over hoe je leven zou zijn geweest met een kind. Een kind dat niet zal komen. Het zou een zeer gewenst kind zijn geweest. Dat betekent afscheid. En daarmee rouw.

Als je erkent dat je bezig bent met een rouwproces, kan je dat een beetje op weg helpen met het accepteren van allerlei gevoelens die je overvallen. Het kan je sterken in de gedachte dat het niet raar of overdreven is om van anderen troost te vragen. Het kan misschien ook de deur openzetten naar professionele hulpverlening. Het feit dat het een rouwproces is, betekent ook dat het niet zomaar 'over' is. Jaren later kun je nog pijnlijke momenten van intens verdriet ervaren.

Als de beslissing is genomen, moeten jullie op de een of andere manier een ander levensperspectief zien te vinden, waard om voor te leven ondanks jullie kinderloosheid. Een andere mogelijkheid is de stap te zetten naar adoptie of pleegouderschap.

Een kind adopteren

Eigenlijk verlangt bijna iedereen die ongewenst kinderloos is in principe naar een biologisch eigen kind. Vaak zul je de mogelijkheid van adoptie pas overwegen als alle andere stappen om een kind te krijgen zijn mislukt. Denken jullie zelf niet aan adoptie, dan zal zeker iemand in je omgeving die mogelijkheid aandragen. Lang niet elk paar dat ongewenst kinderloos blijft kiest uiteindelijk voor adoptie.

Je kunt twijfels hebben of je wel voldoende van een niet-eigen kind kunt houden. Misschien vind je het een bezwaar dat het kind, in elk geval uiterlijk, niet echt op jullie zal lijken. Jullie ongewenste kinderloosheid zal duidelijk zichtbaar zijn voor de buitenwereld. Meestal zal het gaan om een kind uit het buitenland van een ander ras. Zal het kind zich hier thuis voelen? Zal hij niet te maken krijgen met discriminatie?

De lange procedure, de afhankelijkheid van instellingen en/of de hoge kosten

> **Van de 10 ongewenst kinderloze paren schrijft ongeveer één zich in voor een adoptieprocedure.**

kunnen jullie ook afschrikken. Daarbij speelt jullie leeftijd een rol; boven de veertig worden jullie te oud bevonden.

De adoptieaanvraag

Als je getrouwd bent, kun je een adoptieaanvraag samen met je huwelijkspartner indienen. Als je samenwoont (het maakt niet uit of je een homoseksuele of een heteroseksuele relatie hebt) kan de aanvraag maar door één persoon worden gedaan. Je kansen zijn dan wel een stuk kleiner dat je aanvraag wordt gehonoreerd door de Nederlandse autoriteiten, zoals de Raad voor Kinderbescherming, maar het is wel mogelijk. Er is overigens een kamermeerderheid die wil dat adoptie door homoparen mogelijk wordt gemaakt.

Echter, niet alleen de Kamer heeft het voor het zeggen, maar ook de instanties in het buitenland. Als zij niet akkoord gaan met adoptie binnen een homoseksuele relatie, dan heb je maar één manier om een kind te adopteren. Dat is eenouderadoptie. Ook dat zal niet gemakkelijk zijn. Als het kind eenmaal in Nederland is gearriveerd, dan kan je partner vervolgens het kind adopteren.

Op het moment van aanvragen mogen jullie geen van beiden ouder zijn dan 41 jaar. Alleen in enkele bijzondere gevallen kan het Ministerie van Justitie gevraagd worden daarvan af te wijken. Het leeftijdsverschil tussen het kind dat je wilt adopteren en de oudste ouder mag niet groter zijn dan 40 jaar op het moment dat het kind bij jullie komt. Ook op deze regel zijn uitzonderingen mogelijk.

Omdat de maximumleeftijd dat je een kind kunt adopteren gesteld is op 45 jaar (waarbij je weer uit moet gaan van de oudste aanstaande ouder) kun je binnen deze regels op dat moment een kind adopteren dat ouder is dan 5 jaar. Maar over het algemeen geldt dat kinderen bij adoptie niet ouder mogen zijn dat 5 jaar.

In 1998 is in Den Haag een internationaal adoptieverdrag opgesteld dat is ondertekend door verschillende landen. Hierop heeft de Nederlandse regering de Wet opneming buitenlandse kinderen ter adoptie (Wobka)

.

ingevoerd als ratificatie van dat Haags verdrag. De Wobka zou na 5 jaar geëvalueerd worden. In de zomer van 2004 is het advies dat opgenomen is in het evaluatierapport: de maximale leeftijd waarop ouders mogen adopteren moet worden verhoogd naar 46 jaar. Hierbij zou de leeftijd van de jongste ouder moeten gelden. Ook de eis van het maximale leeftijdsverschil tussen (oudste) ouder en kind zou moeten vervallen. Het is natuurlijk nog de vraag of dit wordt aangenomen.

Het leeftijdsverschil is bepaald met het idee dat de kans zo groot mogelijk moet zijn dat jullie je adoptiekind kunnen laten opgroeien tot volwassenheid zonder dat een van jullie komt te overlijden. Het feit dat de levensverwachting in Nederland sterk is toegenomen is overigens een extra reden om de leeftijdseis bij te stellen.

Waar jullie echt bij stil moeten staan is dat het kind een traumatisch verleden kan hebben. Hij kan bijvoorbeeld ernstig zijn verwaarloosd. Naarmate het kind ouder is, is de kans daarop groter. In veel gevallen zal de moeder (of beide ouders) in een onmogelijke situatie hebben gezeten. Er kan zelfs sprake zijn geweest van (seksuele) mishandeling van het kind. Ook schrijnende armoede en/of ongehuwd moederschap, of de afwijzing van het kind door een stiefvader of –moeder, zijn veelvoorkomende redenen om een kind af te staan. Hierdoor kan het kind aanpassingsmoeilijkheden, hechtingsstoornissen, of zelfs (ernstige) gedragsstoornissen hebben.

Adoptie moet je zeker niet romantiseren. Jullie moeten stabiel genoeg zijn om dit aan te kunnen. Je relatie en je gezinssituatie moeten eveneens stabiel zijn. Een kind dat al het nodige achter de rug heeft, moet in rustig vaarwater terechtkomen. Dat is de reden dat als je een aanvraag doet terwijl je nog met vruchtbaarheidsbehandelingen bezig bent, officieel je aanvraag moet worden opgeschort. De praktijk leert echter dat die regel zeker niet altijd opgaat.

Als je een adoptieaanvraag hebt gedaan, word je uitgenodigd voor een verplichte adoptie-oudercursus. Vervolgens zal de Raad voor de Kinderbescherming na enkele gezinsbezoeken een advies aan het Ministerie geven of jullie in aanmerking komen voor een beginseltoestemming. Het kost je in het algemeen ongeveer twee jaar voor je een beginseltoestemming krijgt.

Bemiddeling

De Raad voor de Kinderbescherming noteert punten die door de adoptiebemiddelende organisaties gebruikt worden voor het zogenaamde matchen. Deze organisaties zoeken ouders die passen bij het kind, met als uitgangspunt het belang van het kind. Met andere woorden: ze gaan niet voor jullie op zoek naar een kind. Ze zoeken voor het kind geschikte ouders. In het buitenland vallen kinderen onder de kinderbeschermingsorganisaties aldaar. Ook zij proberen geschikte ouders bij de kinderen te vinden.

Er zijn zeven bemiddelende instanties in Nederland. Dit zijn non-profitorganisaties: dat houdt in dat het niet hun streven is om winst te maken. Ze bemiddelen in het belang van het kind.

Alle landen die het Haags Adoptieverdrag hebben ondertekend erkennen elkaars adoptieprocedure en wetgeving rond adoptie. Is een adoptie totstandgekomen met een land dat dit verdrag niet heeft ondertekend, dan moet de juridische adoptie in Nederland nog geregeld worden.

De kosten van de verplichte voorlichting samen met die van de bemiddelingsprocedure van de bemiddelende instantie en vaak de verplichting om naar het herkomstland van het kind te gaan, maken dat adoptie een kostbare zaak is, en die moet je zelf betalen. Later kunnen deze kosten enigszins worden verlicht door de mogelijkheid van belastingaftrek.

Je kunt ook zelf in het buitenland op zoek gaan naar een kind. Dit kan een en ander wat goedkoper maken. Wel moet een bemiddelende instantie in Nederland de betrouwbaarheid van jullie contacten in het buitenland controleren. In de praktijk is dit vaak alleen een papieren controle. Uiteraard is waakzaamheid geboden, om te voorkomen dat er sprake is van kinderhandel, of andere onjuiste praktijken.

Het is mogelijk dat je vóór een kind wordt geboren al contact hebt met een gerenommeerd bemiddelingsbureau. Dit kan je zelfs op de hoogte houden van het verloop van de zwangerschap. Het bureau kan er bovendien voor zorgen dat de moeder goed wordt begeleid tijdens de zwangerschap. En zo kun je enige zekerheid krijgen dat het kind niet is blootgesteld aan ongezonde stoffen (bijvoorbeeld alcohol) en niet is ver- waarloosd. In Colombia bijvoorbeeld bestaan dergelijke samenwerkings- verbanden tussen bemiddelingsbureau en kraamkliniek al enige tijd. De kosten, ook van zwangerschapscontroles en bevalling, zullen voor jul- lie rekening komen, maar het moet je goed doen dat je zo kunt bijdra- gen aan het creëren van goede kansen voor een kind dat aan jou zal worden afgestaan. Een nadeel is wel dat deze procedure soms nog meer tijd kost. En die tijd heb je door je leeftijd misschien niet meer. Nadat je de beginseltoestemming binnen hebt van de Raad voor de Kinderbe- scherming duurt het bij de normale procedure nog twee tot drie jaar voordat je je kind echt in je armen kunt sluiten.

Adoptie is misschien niet hetgeen waarop je gehoopt had als oplossing voor jullie ongewenste kinderloosheid, maar het biedt jullie wel de kans om ouders te worden.

Nogmaals, de instanties gaan uit van het belang van het kind: het moet vooral dui- delijk zijn dat het kind geen enkele kans heeft op adoptie binnen de eigen familie of eventueel binnen de eigen landsgren- zen. Het kind moet echt beter af zijn in het buitenland, in een andere cultuur en tussen volkomen vreemde mensen.

Uiteindelijk zijn er meer aanvragen voor adoptie dan dat er kinderen naar Nederland komen.
In 2002 waren er 3049 ouderparen die zich bij het Ministerie van Justitie aanmeldden voor adoptie. Er waren maar 1130 kinderen beschikbaar voor adoptie. Ongeveer de helft van de personen (meestal ouderparen) die zich hebben aangemeld, trekt zich in de loop van de lange wachttijd weer terug.

De zorg voor een pleegkind

Binnen Nederland is het doorgaans niet mogelijk om een Nederlands kind te adopteren. Allereerst worden er in ons land weinig kinderen afgestaan; zo'n 50 kinderen per jaar. Daarbij worden ouders in Nederland niet snel uit de ouderlijke macht gezet, ook niet als hun kind al langere tijd uit huis is geplaatst en in een tehuis verblijft. Hoewel de eigen ouders niet meer voor het kind kunnen zorgen, is hij of zij dan niet adoptabel. De hulpverlening is erop gericht het kind uiteindelijk weer bij de eigen ouder(s) terug te brengen, zodra deze de opvoeding weer zelf ter hand kan nemen. Wel kun je je aanmelden als pleegouder(s).

Ook bij pleegkinderen (net als bij adoptiekinderen) wordt uitgegaan van wat het kind nodig heeft. In het kort komt het erop neer dat als jullie je serieus aanmelden om een pleegkind op te nemen, je na gesprekken en acceptatie (goedkeuring) in het bestand van het bureau Jeugdzorg zult worden opgenomen. Er wordt natuurlijk wel met jullie besproken wat voor 'soort' pleegkind het best bij jullie past.

De kinderen kunnen op een wachtlijst terechtkomen: er wordt naarstig gezocht naar een geschikt pleeggezin om het kind zo snel mogelijk in een rustige en duidelijke situatie te krijgen. In eerste instantie wordt ernaar gestreefd om het kind binnen de eigen familie of bij bekenden te plaatsen (ook wel netwerkpleegzorg genoemd). Dat lukt bij bijna de helft van de kinderen (40%).

Pleegkinderen zijn tussen de 0 en 18 jaar oud. 8% van de kinderen heeft een lichamelijke of verstandelijke handicap. In 2002 hebben 14.750 kinderen gebruikgemaakt van pleegzorg. 23% van de kinderen zat in de leeftijdsgroep van 0–4 jaar, de grootste groep (34%) was 5–11 jaar oud, de basisschoolleeftijd.

> Je kunt je samen, maar ook als je alleenstaand bent, opgeven voor pleegzorg. Als je ruimte en energie hebt om bij te dragen aan de zorg voor een kind, dan kan het iets voor je zijn waar je voldoening in kunt vinden. Je moet hierbij bedenken dat het doel van pleegzorg is om continuïteit en opvoedingszekerheid aan een pleegkind te geven. Je eigen situatie moet dus stabiel zijn. Contact met de eigen ouder(s) van het kind moet, waar en zolang dat mogelijk is, blijven bestaan.

Het kind kan een korte opvang nodig hebben, bijvoorbeeld in een periode van crisis, of om de eigen ouder(s) af en toe of regelmatig voor korte
tijd te ontlasten. Daardoor wordt soms bereikt dat de ouders het wel
aankunnen om voor het kind te blijven zorgen. Het is ook mogelijk dat
er voor veel langere tijd opvang nodig is. Dit heet perspectief biedende
plaatsing.
De cijfers uit 2002 geven aan dat 40% korter dan 6 maanden werd
geplaatst en 28% langer dan 2 jaar.
Idealiter zou er zo'n groot aanbod van pleeggezinnen moeten zijn dat
het makkelijker wordt om het juiste gezin bij het kind te vinden. De praktijk is dat het lastig blijkt om een juiste koppeling te maken tussen vraag
en aanbod. Er zijn kinderen (840 in 2002) die langer dan 45 dagen
moeten wachten op een geschikt pleeggezin. Aan de andere kant kan
het gebeuren dat je als mogelijke pleegouder langer dan een jaar moet
wachten voor er een pleegkind bij je wordt geplaatst.

In Nederland wordt onderscheid gemaakt tussen vier varianten van
pleegzorg. Crisisopvang kun je bieden voor 6 weken, met een eenmalige
verlenging van nog eens 6 weken. Er bestaat ook tijdelijke pleegzorg.
Deze zorg duurt maximaal twee jaar en omvat bijna de helft van het
aantal plaatsingen.
Als je wilt kun je je ook opgeven voor pleegzorg voor langere tijd. Dat
gebeurt in 30% van alle plaatsingen. Een pleegkind blijft dan minimaal
twee jaar bij je, soms zelfs tot het volwassen is. Maar ook deeltijdpleeg-
zorg is mogelijk: je biedt dan aanvullende zorg boven op de al bestaan-
de dagelijkse zorg en opvoeding van een kind. Zo kan soms definitieve
uithuisplaatsing worden voorkomen. Op dit moment is dit voor 14% van
de kinderen die een pleeggezin nodig hebben voldoende.

Woordenlijst

Acceptor	ontvanger (van bijvoorbeeld een eicel)
Adenomyose	het baarmoederslijmvlies zit in het spierweefsel van je baarmoeder
Adhesies	verklevingen
Adhesiolyse	losmaken van verklevingen
Androgenen	mannelijke hormonen
Azoöspermie	er zijn extreem weinig of geen zaadcellen aanwezig
Basale temperatuurcurve	(BTC) hieraan kun je zien wanneer je ergens een eisprong moet hebben gehad
CAT	(chlamydia-antistoftiter) een test die aantoont of je lichaam met antistoffen heeft gereageerd op een besmetting met chlamydia
CCCT	clomifeen citraat challenge test: test om in te schatten hoe je lichaam reageert op eicelstimulatie
Cellen van Leydig	cellen in de zaadballen die het mannelijke hormoon testosteron produceren
Cervix	baarmoedermond
Cervixslijm	slijm gemaakt door de baarmoedermond
Clomifeen	medicijn dat zorgt voor een eisprong
Coitus	gemeenschap
Conceptie	bevruchting
Contactbloeding	vaginaal bloedverlies na het vrijen
Corpus luteum	"gele lichaam": een eiblaasje dat na de eisprong het hormoon progesteron produceert
Corpus uteri	baarmoederlichaam
Cryopreservatie	'bewaren door middel van invriezen, bijvoorbeeld embryo's, zaad
Cryptorchisme	er zitten geen zaadballen in de balzak, als de testikels wel in het lieskanaal zitten, dan zijn ze niet in de balzak te brengen
cyste	met vocht gevulde holte
Cystische fibrose	taaislijmziekte (erfelijk)

Donor	vrouw die een eicel afstaat, man die zaad afstaat
Dysmenorrhoe	pijn bij je menstruatie
Dyspareunie	pijn bij het vrijen
Ectropion	uitloper van het slijmvlies aan de buitenkant van de baarmoederhals
EFORT	exogeen FSH ovariële reserve test: test om je eicelvoorraad in te schatten
ejaculatie	zaadlozing
Elektrocoagulatie	door middel van stroom doorsnijden of vernietigen van weefsel
Endometriose	het slijmvlies zit op een andere plaats dan aan de binnenkant van je baarmoeder
Endometrium	het slijmvlies van je baarmoeder
Endometriumbiopsie	een stukje van het slijmvlies van je baarmoeder wordt weggenomen voor onderzoek
Epididymis	bijbal
Foetaal alcoholsyndroom	schade aan de ongeboren baby door alcoholgebruik
Follikel	eiblaasje
Fructose	voedingssuiker
FSH	follikelstimulerend hormoon (zorgt dat de eitjes beginnen te rijpen in je eierstokken)
Geperforeerde appendicitis	doorgebroken blindedarmontsteking
GIFT	(gamete intrafallopian transfer) procedure vergelijkbaar met IVF, maar zaad en eicel worden samengebracht in het uiteinde van de eileiders ipv in een reageerbuis
GnRH	hormoon dat ervoor zorgt dat gonadotrofinen vrijkomen
GnRH-antagonisten	hormonen die de werking van je eierstokken volledig stil leggen
Gonadotrofinen	hormonen die een eisprong opwekken
Habituele abortus	herhaalde miskraam: 3 of meer miskramen krijgen
HCG	human chorion gonadotrofine (ook wel het "zwangerschapshormoon" genoemd): heeft een werking vergelijkbaar met LH en wordt verkregen uit urine van zwangere vrouwen
HIV	human immunodeficiency virus: het virus dat de ziekte aids veroorzaakt
HMG	humaan menopauzaal gonadotrofine: bevat FSH met sporen LH, wordt verkregen uit urine van vrouwen voorbij de overgang

HPV-virus	humaan papilloma virus; sommige typen van dit virus worden in verband gebracht met het ontstaan van baarmoederhalskanker
HSG	(hysterosalpingogram) (röntgen)foto van baarmoederholte en doorgang eileiders middels contrastvloeistof
Hydrosalpinx	afgesloten eileider gevuld met vocht
Hypofyse	klier in je hersenen die de hormonen FSH en LH produceert
Hypospadie	je plasbuis mondt niet uit aan het einde van je penis, maar bijvoorbeeld halverwege of helemaal onderaan
Hypothalamus	deel van je hersenen dat het hormoon LHRH produceert
Hysteroscopie	kijkoperatie in je baarmoeder
ICSI	intracytoplasmatische sperma-injectie: één (goede) zaadcel wordt rechtstreeks in de eicel geïnjecteerd, procedure verder als IVF
inseminatie	het kunstmatig op zijn plaats brengen van zaad
Insuline	suikerregulerend hormoon
Intra-uteriene inseminatie	(IUI) het zaad rechtstreeks in de baarmoeder gebracht door middel van bijvoorbeeld een spuitje
IVF	in-vitrofertilisatie; reageerbuisbevruchting
KID	inseminatie in je vagina met sperma van een donor
KIE	inseminatie in je vagina met sperma van je eigen partner
Laparoscopie	kijkoperatie in je buik
Laparotomie	operatie door middel van een snede in je buik
LEO	(laparoscopische elektrocoagulatie van de ovaria) Een deel van je eierstokken wordt weggebrand door middel van een naaldelektrode
LH	luteïniserend hormoon (stimuleert je eisprong)
LHRH	een hormoon dat de hypofyse aanzet tot het produceren van de hormonen FSH en LH
LHRH-analogen	(GnRH-agonisten): deze kunnen het effect van LHRH remmen
MAR-test	(mixed agglutination reaction) test waarbij er wordt gezocht naar antilichamen gericht tegen je eigen sperma
MESA	microchirurgische epididymale sperma-aspiratie het zaad uit de bijbal wordt chirurgisch verkregen
Myoom	vleesboom, dwz. verdikking (knobbel) in de spierlaag van je baarmoeder
Neurale-buisdefect	NBD of 'open ruggetje'

ZWANGER RAAK JE NIET VANZELF

Obesitas	extreem overgewicht
Oestrogenen	hormonen die onder andere zorgen voor de opbouw van het baarmoederslijmvlies
OFO	oriënterend fertiliteitsonderzoek: algemeen vruchtbaarheidsonderzoek
Oligozoöspermie	je hebt minder zaadcellen dan normaal
Osteoporose	botontkalking
Ovariele reserve	eicelvoorraad in je eierstokken
Ovarium	eierstok (meerv: ovaria)
OHSS	Ovarieel hyperstimulatiesyndroom: ernstige complicatie door overstimulatie van de eierstokken
ovulatie	eisprong
Ovulatietest	test om in de urine de concentratie van het hormoon LH te bepalen; hiermee kun je bepalen of en wanneer je een eisprong hebt
PESA	percutane epididymale sperma-aspiratie: zaadcellen worden uit de bijbal gehaald door middel van een punctie
Phimosis tubae	een afsluiting aan het eind van de eileider
Placebo	'medicijn' zonder werkzame stof dat door het psychische effect een positieve werking kan hebben
Placenta	moederkoek
PMS	premenstrueel syndroom: lichamelijke en psychische klachten tijdens de tweede helft in je cyclus (idem als PMDD)
PMDD	premenstrual dysphoric disorder, zie PMS
Polycysteus Ovariumsyndroom	(PCOS) complex beeld veroorzaakt doordat je hormonen (LH/FSH) uit balans zijn
Post-coïtumtest	(PCT) samenlevingstest, ook wel Simms-Hühnertest: er wordt gekeken of er na gemeenschap goed bewegende zaadcellen in het slijm van je baarmoedermond aanwezig zijn
Preconceptioneel advies	adviezen die je kunt krijgen voor je zwanger wordt om zo gunstig mogelijke omstandigheden voor zwangerschap en geboorte te scheppen; adviezen voor de bevruchting
Prematuur ovarieel falen	(POF) te vroege overgang
Prenatale diagnostiek	diagnostisch onderzoek van het ongeboren kind
Progesteron	hormoon dat onder andere je baarmoeder voorbereidt op de ontvangst van een bevrucht eitje
Prolactine	hormoon dat onder andere voor de aanmaak van melk door melkklieren zorgt

Prolactinoom	een klein goedaardig gezwel in je hypofyse
Prostaat	een grote klier onder de blaas van de man, ook wel voorstanderklier genoemd.
Proximale afsluiting	afsluiting aan het begin van de eileider (waar deze overgaat in de baarmoeder)
recombinant FSH	chemisch verkregen zuiver FSH
Re-anastomose	in de eileider zit een afsluiting, deze wordt verwijderd en de overgebleven uiteinden worden aan elkaar gehecht
Refertilisatie	hersteloperatie na eerdere sterilisatie
Retrograde ejaculatie	je zaad loopt geheel of gedeeltelijk je blaas in
Rubella	rodehond
Scrotum	balzak
semen	zaad
Simms-Hühnertest	zie Post-coïtumtest
SIS	(saline infusion sonohysterography) echoscopie van een met water gevulde baarmoeder: hiermee kunnen afwijkingen aan de baarmoederholte en eileiders worden opgespoord
SOA	seksueel overdraagbare aandoening, geslachtsziekte
Speculum	ook wel eendenbek genoemd; een spreider voor in de vagina
Sperma	zaadcellen, prostaatvocht en vocht uit de zaadblaasjes
Spermatogenese	aanmaak van nieuwe zaadcellen
Spermatozoa	zaadcellen
Stamcellen	(oer)cellen die kunnen uitgroeien tot elk gewenst weefsel
Sympto-thermale methode	methode om je vruchtbare periode te berekenen
Syndroom van Ashermann	de wanden van je baarmoederholte zijn verkleefd, de menstruatie kan hierdoor helemaal uitblijven
TESE	(testiculaire sperma-extractie) het zaad wordt rechtstreeks uit de zaadbal gehaald, operatief of door middel van een punctie
Testis	zaadbal (meerv.: testes)
Testiculair falen	de zaadballen zijn niet functioneel
Toxoplasmose	ook wel "kattenziekte" genoemd: infectie door de parasiet toxoplasma gondii
Trisomie	een chromosoom komt drie keer voor
Tuba	eileider

Tuboscopie	door middel van een camera (die via je vagina en baarmoeder in je eileider wordt geleid) de binnenkant van de eileider bekijken (ook wel falloposcopie genoemd)
urethra	urineleider die van de blaas naar de vulva loopt
Uterus	baarmoeder
Varicocèle	spatader in de balzak
Vesicula seminalis	zaadblaasjes
Vulva	schaamheuvel, grote en kleine schaamlippen, clitoris, plasgaatje en vaginale opening
Wigresectie	je eierstokken worden verkleind door er een stuk uit weg te snijden
Wobka	Wet opneming buitenlandse kinderen ter adoptie
ZIFT	(zygote intrafallopian transfer) hierbij wordt de eicel, kort na de bevruchting in het laboratorium, teruggeplaatst in het uiteinde van de eileider, waarna het de reis naar de baarmoeder zelf moet volbrengen

Geraadpleegde literatuur

Balen, A.H. & Jacobs, H.S. (2003).
Infertility in practice. Londen: Churchill Livingstone

Braat, Didi & Kleijne, Gemma (1998).
Zwanger via een omweg. Nijkerk: Van Brug

Brosens, I. & Wamsteker, K. (1997).
Diagnostic imaging and endoscopy in gynecology; a practical guide.
Londen: WB Saunders Company Ltd.

Charlish, A. (2002).
Getting pregnant. Londen: Mitchell Beazley

Dermout, S.M. (2001).
De eerste logeerpartij – Hoogtechnologisch draagmoederschap in
Nederland; proefschrift. Rijksuniversiteit Groningen

Fauser, B.C.J.M., Rutherford, A.J., Straus, J.F. & Steirteghem, A. van
(Red.) (1999).
Molecular Biology in Reproductive Medicine. New York: Parthenon
Publishing.

Gordts, S., Norré, J. & Campo, R. (2003).
Zwanger worden ... ook voor ons? Tielt: Uitgeverij Lannoo

Heineman, M.J., Bleker, O.P., Evers, J.L.H. & Heintz A.P.M. (1999,
4e druk).
Obstetrie en gynaecologie; de voortplanting van de mens. Maarssen:
Elsevier Gezondheidszorg.

Heringa, M. (1998).
Computer-ondersteunde screening in de prenatale zorg; proefschrift.
Rijksuniversiteit Groningen

Lammes, F.B. (2000).
Praktische gynaecologie. Houten: Bohn Stafleu Van Loghum.

Netter, F.H. (1977).
The Ciba Collection of Medical illustrations, volume 2: reproductive
system. New Jersey: Ciba Pharmaceutical Company

Kate, L.P. ten, Beemer, F.A. & Broertjes, J.J.S. (Red.) (1997).
Community genetics, nut en noodzaak. Utrecht: Vakgroep didactiek van
de biologie

Treffers, P.E. & Prins, M. (1999).
Praktische verloskunde. Houten: Bohn Stafleu Van Loghum

Trewinnard, K. (1999).
Fertility & conception. New York: Saint Martin's Press Inc.

Vele, E.R. te, Pearson, P.L. & Broekmans, F.J. (2000).
Female reproductive aging. Londen: Parthenon Publishing

West, Z. (2003).
Fertility & conception. Londen: Dorling Kindersley.

Artikelen onder andere uit de volgende tijdschriften:
1. Tijdschrift voor Fertiliteitsonderzoek
2. Nederlands Tijdschrift voor Obstetrie en Gynaecologie
3. Nederlands Tijdschrift voor Geneeskunde
4. SOA bulletin
5. Human reproduction
6. Fertility and sterility

Artikelen van internet via:
www.ncbi.nlm.nih.gov (via entrez naar pubmed)
www.uptodate.com

Overige informatie via:
NVOG-standaarden
NHG-standaarden

Meer lezen

Onvruchtbaarheid algemeen

Braat, Didi & Kleijne, Gemma (1998). **Zwanger via een omweg**. Nijkerk: Van Brug

Eck, Odile van (2004). **Een onvervulde kinderwens, omgaan met vruchtbaarheidsproblemen**. Lelystad: Uitgeverij Archipel

Gordts, Stephan & Norré, Jan & Campo, Rudi (2003). **Zwanger worden... ook voor ons?** Warnsveld: Lannoo

Kalden, André & Beker, Peter (1993). **Het perfecte kind. Kunstmatige voortplanting in Nederland**. Nijkerk: Van Brug

Roegholt, M. (2004). **Dilemma's rond spermadonorschap**. Uitgeverij Passage

Uyterlinde, Judith (2001). **Eisprong – een verhaal over liefde en het verlangen naar een kind**. Mets & Schilt, Manteau

Walbeek, Renée van (2000). **Ongewenst kinderloos, brieven over een leven zonder kinderen**. Nijkerk: Van Brug

Adoptie

Best, Yolande de (2001). **Adoptie**. Houten: Unieboek/ Van Reemst

Brodzinsky (1997). **Geadopteerd een leven lang op zoek naar jezelf**. Amsterdam: Ambo/ Anthos

Delfos, Martine & Visscher, N. (2001). **(Pleeg)Kinderen en vreemd gedrag!?** SWP

Egmond, Geertje van (1987). **Bodemloos bestaan**. Baarn: Ambo

Egmond, Geertje van (2001). **Verbinding verbroken**. Baarn: Ambo

Grasvelt, Coby (1989). **Adoptie: ouderschap of hulpverlening**. Haarlem: De Toorts

Hoksbergen, R.A.C. (2000). **Adoptie: Een levenslang dilemma**. Houten: Bohn Stafleu Van Loghum

Juffer, Femmie (2002). **Adoptiekinderen: opvoedingen en gehechtheid in het gezin**. Amsterdam: Boom

Michielsen, Dido (2002). **Dochters van ver: belevenissen van een adoptiemoeder**. Amsterdam: Prometheus

Poll, M (2004). **Adoptie – Voor ouders en kinderen**. Amsterdam: Prometheus Groep

Verrier, Nancy (2003). **Afgestaan. Begrip voor het geadopteerde kind**. Amsterdam: Ambo

Vlieger, Evelien de (2002). **Mag ik zelf een mama en een papa kiezen?: vragen van en voor kinderen over adoptie**. Leidschendam: Biblion / Amsterdam: Mozaïk

Wolfs, Renée (2004). **Wereldkind: Praten met je adoptiekind**. Amsterdam: De Prom

In Vitro Fertilisatie

Luitwieler-Rodts, S. (2002). **Een rijk bezit**. Lelystad: Archipel

Ministerie van Volksgezondheid, Welzijn en Sport & Inspectie voor de Gezondheiszorg (1997). **Van kinderwens naar kinderzegen**. Den Haag: VWS

Pleegouderschap

Beek, Fiet van & Stellingwerf, Jolanda (2003). **Gezellig en irritant: ervaringen van de kinderen van pleegouders**. Amsterdam: SWP

Robbroeckx, Luk & Bastiaensen, Petra (2001). **Feit en f(r)ictie in de pleegzorg**. Houten: Bohn Stafleu Van Loghum

Stoel, Saskia van der (1991). **Pleegouders over hun kinderen**. Rotterdam: Lemniscaat

Weterings, A.M. (1998). **Pleegzorg in balans, bestaanszekerheid voor kinderen**. Antwerpen: Garant

Romans

Meer, Vonne van der (1989). **De reis naar het kind**. Amsterdam: De Bezige Bij

Miró, Asha (2004). **Dochter van de Ganges**. Amsterdam: Sirene

Rijsewijk, Trees van (2002). **Kumari, mijn dochter uit Nepal**. Amsterdam: Sirene

Samen verder

Asten, Emmelie van & Zwieten, Myra van (1996). **Stoppen of doorgaan?** Nijkerk: Van Brug

Bouma, Hans & Dessens, Evelyne (1998). **Meer dan je verdriet**. Kampen: Kok

Disseldorp, Marianne (1994). **Stil verdriet**. Nijkerk: Van Brug

Nuttige adressen/websites

FIOM
(13 vestigingen)
Centraal bureau
Kruisstraat 1
5211 DT 's-Hertogenbosch
Postbus 1019
5200 BA 's-Hertogenbosch
Tel. 073-612 8821
Fax 073-612 2390
e-mail centraal.buro@fiom.nl
www.fiom.nl

Freya
Patiëntenvereniging voor vruchtbaarheidsproblematiek
Postbus 476
6600 AL Wychen
Tel. 024-645 1088
Fax 024-645 1088
email secretariaat@freya.nk
secr.freya@pi.net
www.freya.nl

Landelijke Contactgroep KID
Kunstmatige inseminatie donor, begeleiding kind en (toekomstige) ouders
Postbus 1065
3700 BB Zeist

Landelijke Geneesmiddel Infolijn
Antwoord op vragen over geneesmiddelen
Tel. 0800-099 8877
Voor vragen over homeopathische
geneesmiddelen kun je terecht bij de
VSM Homeopathielijn
Tel. 0800-9011
www.vsminfo.nl

**NVOG Nederlandse Vereniging
voor Obstetrie en Gynaecologie**
Postbus 20061, 3502 LB Utrecht
Tel. 030-282 3812
Fax 030-280 3956
www.nvog.nl

Stoppen met roken
Tel. 0900-9390
www.stopeffectief.nl

Vitamine Informatie Bureau
TNO Voeding
Postbus 360
3700 AJ Zeist
Tel. 030-694 4777
www.vitamine-info.nl

Voedingscentrum
Postbus 85700
2508 CK Den Haag
Tel. 070-306 8888
Fax 070-350 4259
www.voedingscentrum.nl

Stichting Dilemma
(advies bij moeilijke beslissingen)
Postbus 20070
3502 LB Utrecht
Tel. 030-287 1900

Adoptie

Wereldkinderen
Riouwstraat 191
2585 HT Den Haag
Tel. 070-350 6699
www.wereldkinderen.nl

Ministerie van Justitie
Directie Jeugdbescherming en
Reclassering
Postbus 20301
2500 EH Den Haag
Tel. 070-370 6246
www.justitie.nl

Pleegzorg

Pleegzorg Nederland
Tel. 0800-022 3432
www.pleegzorg.nl

Adressen in België

Kinderloosheid

Werkgroep voor ongewild
kinderloze echtparen SARA
Het Innemen 71
2930 Brasschaat
Tel. 03/652.03.39

Junior
Zelfhulpgroep voor paren met vruchtbaar-
heidsproblemen
Broekstraat 91
3500 Hasselt
Tel. 011/27.34.87
Noorderlaan 170, bus 1
9230 Wetteren
Tel. 09/365.45.88

Raadgevend Comité voor Bio-
ethiek
RAC, 4de verdieping, Vesaliusgebouw
Pachécolaan 19, bus 5
1010 Brussel
Tel. 02/210.42.34

Adoptie

Erkende Vlaamse
Adoptiediensten (EVA)
Wittemolenstraat 31
9040 Sint-Amandsberg
Tel. 09/229.31.00

Homoseksualiteit

Federatie Werkgroepen
Homoseksualiteit
Kammerstraat 22
9000 Gent
tel. 09/223.69.29
www.fwh.be

Register

ZWANGER RAAK JE NIET VANZELF

Verantwoording

Met dank aan de volgende personen en instellingen
voor het ter beschikking stellen van illustraties voor dit boek:
Bonnita Postma (omslagfoto, blz. 70, 153)
Gustav Klimt (blz. 2, 170)
Hans Pruijn (blz. 7, 80)
Anke Nobel (blz. 9, 11, 14, 96, 97, 137)
Winkler Prins Medische Encyclopedie (blz. 16, 66, 106)
Philippe Vercoutter (blz. 18)
CDC/Dr. E. Arum/Dr. N. Jacobs (blz. 34)
Wiep van Willegen (blz. 40, 63, 65)
Stichting Voedingscentrum Nederland (blz. 45)
CDC/Dr. Martin D. Hicklin (blz. 56 boven)
Public Health Image Library (blz. 56 onder)
Sjoerd de Blok/Olympus Nederland (blz. 20, 56)
Bente Yedema (blz. 62)
F. van Balen (blz. 72)
Ruud Briedé (blz. 85)
Siepie van der Meer (blz. 91, 92, 93, 135)
L.P.J. Cobben (blz. 94)
Olympus Nederland (blz. 95)
Kees Yedema (blz. 103, 109, 114)
Fertiliteitslaboratorium Centrum voor Voortplantingsgeneeskunde, AMC
(blz. 142)
Sylvia Dermout (blz. 164)
Folly Marland (blz. 175)
Patricia van de Camp (blz. 177)

Anja de Grient Dreux (1959) studeerde aan de Vroed-
vrouwenschool in Heerlen. Daarnaast is ze opgeleid als
eerstelijns echografiste. Zij werkt al meer dan twintig jaar
als verloskundige, aanvankelijk in het Academisch
Ziekenhuis Utrecht en op dit moment in de Verlos-
kundigenpraktijk in Maarssen. Anja is auteur van
Zwanger en *Gezond zwanger dagboek*.

Colofon

Uitgeverij Het Spectrum B.V.
Postbus 2073
3500 GB Utrecht

Eerste druk 2004
Omslagontwerp en vormgeving binnenwerk:
Petra Gerritsen, Utrecht
Omslagfoto: Bonnita Postma, Amsterdam
Illustraties: Anke Nobel, Lelystad
Druk: L.E.G.O., Italië

ISBN 90 274 9614 5
NUR 851
www.spectrum.nl